Trois amis

Mario Tobino

Trois amis

Traduit de l'italien
par Patrick Vighetti

FEUX CROISÉS
PLON

Titre original
Tre amici

Collection Feux Croisés

Copyright © Eredi di Mario Tobino
This edition published by arrangement with Grandi & Associati
© Plon, 2011, pour la traduction française
ISBN édition originale : 978-8-8044-0127-8, Mondadori, avril 1988
ISBN Plon : 978-2-259-21524-4

www.plon.fr

Trois amis

Si j'y parviens, j'entonnerai votre chant.
Sinon, pardonnez-moi.

Nous étions trois amis

On ne s'est jamais dit qu'on était amis. Imaginez Campi prononcer le mot « amitié », il y aurait vu de la minauderie. Il suffisait de voir comment il traitait sa mère, Sandrina. Sitôt levé le matin, il l'appelait d'un cri du haut de l'escalier, avant de claquer la porte violemment, rien que pour empêcher l'affection de déborder et de tomber dans la sensiblerie.

Ni Turri ni moi non plus n'avons jamais prononcé les mots : « On est amis. » On s'appelait par nos prénoms voilà tout. Ce qui était ancré si profond dans nos cœurs n'avait pas besoin de transparaître.

Lorsque Turri à la Libération est entré dans mon réduit à l'hôpital de Lucques, il a dit :

— Campi est mort. Il a été torturé pendant plus d'un mois par le lieutenant Karl. On l'a pendu au bois des Châtaigniers, près de Belluno. Et toi, qu'as-tu fait ?

Étrangement sa voix était tendue, peut-être bien à l'adresse du ciel, comme si Campi était là, au-dessus, devant nous, avec nous. Aussitôt il a changé de sujet, il a parlé de sa vie à Bologne les derniers mois ; le sang était récent, difficile à oublier. Et puis cet après-midi-là il était accompagné par trois de ses fidèles soldats, des partisans, du Septième GAP, qui avaient combattu à ses côtés.

Tandis que j'écris, quarante ans après, notre amitié me semble exceptionnelle, impossible à décrire, nous unissant tous les trois, sans que jamais s'échange aucun sentiment, aucune effusion. Je n'en ai saisi la force qu'au cimetière de Bologne, Turri dans son cercueil, scellé, puis disparaissant sous terre. J'ai mesuré ma solitude. Avec lui mourait Campi. Turri vivant, à nous deux nous maintenions Campi en vie, nous le conservions avec ses peurs, ses visions fugaces, ses agressions incisives, son absolue tendresse.

Me voilà seul. Il ne me reste plus qu'à me souvenir d'eux, les poursuivre de façon fugitive, par éclair, susciter en moi leurs ombres, dans l'espoir que l'histoire resurgisse, que le paysage s'illumine, qu'on n'aille pas qualifier de crimes les faits de guerre d'Aldo Turri.

Avec toi, Campi, la parole est facile. Je te revois dans la maison de Belluno, cette nuit où l'on a cogné à ta porte. Tu avais eu ces visions furieuses, prémonitoires. C'était la préfecture de police, ils étaient là, ainsi que tu l'avais toujours craint ; ceux qui te *passeraient la corde*. Turri et moi, dans ces moments-là, nous riions, nous nous moquions gentiment de tes peurs. Imbéciles ! Là où nous croyions entendre des élucubrations paranoïaques, tu annonçais l'avenir.

Je suis là, à parler avec toi, Campi. Reviens me voir. Ensemble, rappelons Turri, parti lui aussi. Vous m'avez laissé seul. Revenez. Moi je respire encore.

Un jeune homme sous le fascisme

Le fascisme aussi nous a soudés.

Sous la Dictature, un jeune homme né avec la faculté de contempler l'éclosion du monde autour de lui, désireux d'échanger avec d'autres âmes, de s'engager dans une belle aventure, devait baisser le front devant la rhétorique dominante, empesée de monotonie, de stupidité.

Tel un corps qui s'enfonce dans l'eau, il se sentait de plus en plus oppressé par la solitude.

Dans une grande ville, en cherchant hardiment, peut-être serait-il parvenu à rencontrer quelqu'un, un homme plus âgé, un aîné prudent, à moitié caché et cependant libre de conscience, quelle que soit sa tendance politique ; à le connaître, à se fier à lui. Peut-être alors en aurait-il tiré un élan de vie.

Dans une grande ville, peut-être, mais dans un de ces innombrables bourgs et villages dont l'Italie regorge, ce jeune homme était voué à la solitude et, certains jours où sa condition l'étouffait plus encore, il se sentait né sous une mauvaise étoile, sans espoir.

Certes, à cet âge-là, on peut éprouver mélancolie et solitude, même dans une nation libre. La jeunesse est un âge sensible.

Mais celui qui est né et qui a grandi sous une Dictature et qui sait peser le beau et le laid, imaginer l'avenir, celui-là nourrit une mélancolie spéciale, un sentiment particulier de solitude, jouet des circonstances politiques ; autour de lui bourdonne un essaim qui sonne comme une malédiction.

J'étais né pour ma part à Viareggio, à l'époque une bourgade d'à peine vingt mille âmes.

À l'éclosion de l'adolescence, découvrant les fascistes, j'ai appris à en distinguer les principales figures, les chemises noires, incarnations de l'arrogance, leur plaisir à humilier les démunis, les vaincus, à les rosser parfois la nuit, chez eux, devant femme et enfants.

Nés pour servir le tyran, ils haïssaient toutes les formes de liberté.

Ils n'étaient pas si nombreux, chacun avec sa nuance propre.

Suivait la cohorte des profiteurs, hypocrites, fourbes, lesquels, par carriérisme ou par cupidité, étaient prêts à toutes les bassesses.

La multitude se composait de citoyens inertes, ternes, anonymes, réfugiés dans l'ordre formel fasciste, parmi eux se distinguaient, gemmes insolites, les ingénus, les patriotes en mal d'une grande Italie. Autre nuée enfin, les inconditionnels des cérémonies, drapeaux, fanions, défilés, qui s'en délectaient comme les enfants des bonbons.

À la maison, même, le père avisé surveillait ses paroles et n'osait point être sincère, exprimer ses opinions profondes : le fils, formé à l'école fasciste, pouvait ingénument rapporter les propos paternels, l'exposant ainsi au danger.

Les lois éternelles subsistaient malgré tout sous le fascisme. Un jeune homme – même conscient du poids de la Dictature – s'enamourait d'une fille, ou bien oubliait tout devant le spectacle de la nature, tandis qu'un autre jour il était, allez savoir pourquoi, ivre de joie, ou encore bercé par des rêves de gloire.

Ainsi est la vie, faite de trêves, de pauses.

Toutefois, d'un jour à l'autre, notre jeune homme peut être rattrapé par la réalité, sa condition d'esclave l'empêchant alors de vivre dignement.

Un esclave ne saurait se comporter en homme.

En voici un exemple.

Je vivais en Toscane, certes une terre de talents, d'hommes exceptionnels, mais qui recèle tout autant de méchanceté, de cruauté mesquine, l'envers de la générosité, des hommes hostiles à la fraternité, à l'empathie, au simple courage, une terre où le sourire sceptique, l'âpre impatience, l'incapacité de s'émouvoir, la volupté à médire s'insinuent partout et pénètrent chaque maison.

Inscrit en médecine à l'université de Pise, comme les autres étudiants j'avais commencé à en fréquenter les cours, faisant en train la navette Viareggio-Pise.

Pise était une telle eau dormante, un tel nuage lent, qu'une luciole aurait passé pour le feu d'artifice tiré à la fête patronale.

C'est exactement l'effet que me fit Vela. En cours d'anatomie, courbé comme nous tous devant un professeur suant la pédanterie.

Un matin, j'attendais moi aussi sur les bancs de l'amphithéâtre que le professeur en toge blanche apparût et vînt poser lentement ses coudes sur sa chaire, lorsque je m'avisai qu'un étudiant, un peu plus bas, lisait *Il Selvaggio*. Je n'en croyais pas mes yeux.

Cette feuille, ce périodique, que j'avais découvert par hasard, et auquel j'avais moi-même commencé à collaborer, portait comme sous-titre : « Bimensuel des militants de Colle » ; il s'agissait en réalité d'une publication bien différente des journaux en circulation. Dans *Il Selvaggio*, on parlait en italien, sans rhétorique, on s'intéressait à la vraie littérature. C'est dans ses pages que j'ai découvert les eaux-fortes de Morandi, les tableaux de De Pisis ou de Carrà, tout ce que l'Italie comptait de pur à l'époque, une feuille frondeuse, du moins une invitation à la droiture et à l'espoir.

Je descendis d'une rangée de sièges pour m'installer à côté de Vela, un Livournais ; je ne le connaissais que de vue, jamais je n'aurais imaginé qu'il pût acheter *Il Selvaggio*, qu'il pût même le connaître.

Je lui touchai l'épaule. Aussitôt on sympathisa. Il recherchait lui aussi quelque chose, quelqu'un, pour communiquer, pour nourrir son esprit.

Le professeur d'anatomie tarda encore quelques minutes ; elles furent suffisantes. Nous nous étions trouvés, nous avions échangé quelques mots, un sourire. Un jeune homme d'aujourd'hui ne saurait imaginer, ou difficilement, quel bonheur c'était.

Nous subîmes le cours, brûlants d'impatience. Puis nous allâmes déjeuner ensemble, ne nous quittant plus de tout l'après-midi.

Un après-midi ensoleillé; mais la lumière était aussi en nous. Aujourd'hui, cela peut paraître incroyable.

À l'époque, Vela, le Livournais, était un pur libéral, il avait découvert Croce au lycée et lui était très fidèle, jusque dans son comportement quotidien. Par hasard, en nous promenant dans Pise, et en nous avouant les détails de notre hostilité au fascisme, par hasard nous passâmes non loin d'une maison de tolérance; moi, très vite, comme dans une courte pause pour mieux nous replonger ensuite dans notre sujet, je la lui désignai pour souligner un commentaire sur l'une de sa quinzaine d'intéressantes hôtesses.

Vela paisiblement m'avertit qu'il ne fréquentait pas ce genre d'établissements; un tel commerce, payer la prostitution, c'était la favoriser, en contradiction avec sa morale, il aurait eu honte d'user d'argent pour soumettre une femme, un être humain.

Je n'insistai pas, à ce moment-là notre cheminement m'importait bien plus.

Nous nous saluâmes à la gare, nous promettant de nous revoir.

Riche de cette heureuse rencontre, il prit le train pour Livourne, et moi, dans le même état d'esprit, celui pour Viareggio. Durant le trajet, je revivais tous nos propos, nos pensées, nos sentiments, les espérances non avouées.

Très certainement aussi Vela, sur son trajet Pise-Livourne.

Tels étaient, sous le fascisme, le silence, la solitude, qui opprimaient ces jeunes gens capables d'attention, c'est-à-dire disposés à l'amour.

« Oui », a répondu Turri

Je ne supportais plus l'inertie qui régnait à l'université de Pise. Je demandai à mon père la permission de m'installer à Bologne, bien que cela entraînât des frais plus importants.

Mon père, je lui en serai éternellement reconnaissant, me donna son accord.

— Je suis sûr d'y étudier mieux.

Je partis très tôt, un matin d'octobre. Durant le voyage, mon esprit rêva, derrière la vitre du train tout paraissait neuf et beau. Aux premières maisons de Bologne teintes de ce jaune tirant sur le rouge, je me sentis un homme heureux, intérieurement je ne cessais d'en remercier mon père.

Quelle différence avec la Toscane ! Quelle aimable hospitalité ! J'avais entrepris de rechercher une chambre, une agence m'en avait fourni une liste. Chaque porte qui s'ouvrait découvrait une femme souriante, accueillante, presque maternelle pour le jeune étranger. On s'amusait aussi – je ne l'ai su qu'après – de mon parler toscan. Cette limpidité des sons, cette simplicité des mots contrastait avec leur dialecte quelque peu compact.

La chambre trouvée, je déambulai sous ces arcades qui accompagnent et protègent les habitants à travers toute la ville. Chaque femme m'apparaissait comme une madone.

Puis je m'inscrivis au cours de médecine et commençai à observer les autres étudiants.

Un matin, je remarquai Turri et Campi, assis non loin de moi.

Au fond de l'amphi, la rodomontade d'un étudiant avait créé de l'agitation ; il arborait à la boutonnière de son veston deux décorations, dont celle du Parti fasciste. Certains autour de lui semblaient assentir, les autres demeuraient silencieux, mais sans montrer d'aversion.

Je notai le visage de Campi, sombre, bouillonnant, hostile à ce frimeur. Celui de Turri, de même, désapprouvait nettement.

Le petit chef – c'en était un – se mit soudain à louer le Régime, avec morgue, bien conscient que la salle comptait des opposants au fascisme.

Je vis la main de Turri agripper l'avant-bras de Campi comme pour l'inviter à rester calme.

Tout se dissipa bientôt ; le professeur arrivait pour le cours.

Je continuai de les épier : à leur boutonnière, aucun insigne.

Les jours suivants, je saisis un autre menu épisode. Un étudiant était entré dans l'amphi, un voile de mélancolie sur le visage, lui aussi dépourvu de décoration fasciste. Je sus par la suite qu'il s'agissait du fils d'un condamné politique incarcéré. Campi lui fit signe, avec une affection marquée. L'étudiant s'approcha, ils se mirent à parler en romagnol, ce dialecte dense.

Le hasard voulut qu'à ce moment-là le petit chef de l'autre jour passât tout près, il descendait les gradins pour se rapprocher de la chaire. Je constatai de nouveau que Turri et Campi, ainsi que leur ami, le suivaient du regard, avec un air de mépris, assurément aussi de haine.

Bref, j'y voyais l'indice que Turri et Campi étaient comme moi, contre le fascisme.

Tous deux m'avouèrent par la suite qu'ils m'avaient remarqué : « Tu restais dans ton coin, sombre. »

Notre vraie rencontre se produisit à la fin d'un après-midi, le soir venant.

La chambre que j'avais louée se trouvait via Zamboni, près du centre.

Sous les arcades du Pavaglione, l'heure de la promenade approchait. On y croisait les plus belles filles de la ville, promptes à sourire de fine malice à leurs admirateurs.

18

Les arcades couraient sur le flanc de San Petronio, la plus belle et la plus ancienne église de Bologne, et débouchaient sur l'élégante piazzetta Galvani. Là-dessous, les vitrines étincelaient.

J'étais descendu dans la rue pour arriver à temps à la promenade et mon trajet me faisait passer devant le café des Due Torri, que fréquentaient les étudiants de l'université.

Je vis sortir de là Turri et Campi. Ils empruntèrent la via Rizzoli, à quatre ou cinq mètres de moi. Je les suivis, leur emboîtant le pas.

La via Rizzoli s'éloigne des Due Torri, arrive bientôt au Palazzo di Re Enrico, puis juste après, en s'élargissant, au Neptune nu, la statue d'un géant armé d'un trident, dominant, dans les bouillonnements de la fontaine, des angelots et des dauphins, et des petites sirènes qui se cachent les seins.

Turri et Campi s'arrêtèrent pour prendre une décision, je me retrouvai près d'eux.

Je levai le bras, pointai le doigt, sans m'être préparé.

Fixant Turri, le plus près de moi, je dis :

— Vous êtes comme moi.

— Oui, répondit Turri, après à peine une ou deux secondes de réflexion.

Il avait bien compris de quoi je parlais.

— Oui, répéta-t-il, accompagnant ce second « oui » d'un doux sourire.

Je lui tendis la main :

— Ottaviani.

— Moi, c'est Turri. Et lui, c'est... Campi, Mario Campi.

Campi s'était à demi retourné, l'air ombrageux, comme dédaigneux. J'assistais pour la première fois aux mouvements de son âme.

Turri intervint :

— Campi! s'exclama-t-il avec une certaine fermeté.

Une incitation.

Campi se tourna alors vers moi, tendit lui aussi la main, le visage toutefois marqué d'interrogations.

Le « oui » de Turri résonnait encore à mes oreilles. Combien il avait été serein, ferme, en un instant il avait évalué la situation et donné sa réponse. Dans ce menu fait, qui m'avait comblé, pointait déjà l'homme des futures décisions, le héros d'une guerre civile. Comme ce « oui » souriant de Turri était en harmonie avec le Neptune, là devant, son trident à la main, qu'avait modelé un jour Jean Bologne !

Nous étions assez empruntés. Je pris l'initiative, me déclarant contre le fascisme, m'adressant seulement à Turri.

Devenu très sérieux, comme sous l'effet d'une illumination, il dit :

— Oui, nous aussi.

— Où alliez-vous ?

— Via Ugo Bassi, chez Silvio. Ce soir, c'est fête, j'ai reçu de l'argent de chez moi. Joins-toi à nous.

— Volontiers. Merci.

La rôtisserie était à quelques pas, je n'y étais jamais allé. Un plancher, dans la cuisine rougeoyaient les braises ; les lourdes nappes sentaient la lessive.

— Tu es toscan, ça s'entend.

— De Viareggio.

La sympathie que je sentais naître à mon égard dépendait aussi des productions verbales que j'avais déployées.

Turri était un robuste mangeur, non moins que Campi ; ils se mirent à l'ouvrage.

Campi se détendait peu à peu. Le fait que Turri avait répondu « oui » aussi franchement avait suscité en lui, comme toujours, des vapeurs, des suspicions, des peurs sourdes, la crainte de pièges. L'imagination ou, mieux, la disposition de sa nature complexe, souvent, toujours, l'amenaient brusquement à bouillir, puis, avec un profond soupir de libération, il se reprenait, redevenait normal.

Quel danger Turri avait-il suscité en répondant « oui » à un étudiant comme eux ? Et puis, s'ils se tenaient cachés, tels des porcs-épics, sans échanger, sans créer d'affiliés, quels politiques étaient-ils ? Des politiques qui ne préparaient rien, inertes, et donc inutiles.

Campi était ainsi fait, à certains moments les soupçons lui brouillaient la raison.

Combien de fois, par la suite, désormais en pleine confiance à mon égard, m'annonça-t-il avec une vive conviction : « Ils nous ligotent! ils me ligotent!» Et toutes ses phrases sur la police fasciste qui s'amuserait à le fouetter longuement. Combien de fois! Et nous qui lui riions au nez, qui nous moquions dans son dos; qu'il se débarrasse donc de ces fantômes terrifiants!

Après toutes ces années, voilà que je reconsidère son histoire : comment ne pas entrevoir le visage du lieutenant Karl, l'officier allemand auquel Campi a été remis pour qu'il parle, avoue, trahisse?

Oui, je sais, je sais. Je vais trop vite, j'anticipe, je raconte un épisode sans l'avoir annoncé, mais c'est le rythme de mes souvenirs, je suis en train de revivre cette vie avec mes amis, Turri et Campi, j'obéis à ce que le cœur me commande.

Karl le torture plus d'un mois, de toutes les façons, entre autres une jambe de Campi a fini par se gangrener.

Finalement, avec neuf autres partisans, il le transporte, l'ayant ligoté avec des cordes à une civière puis attaché au flanc extérieur d'un camion, jusqu'au bois des Châtaigniers.

D'emblée, M. Karl fait pendre les neuf autres et, tandis que ceux-ci se balancent déjà à la brise du soir, il s'approche de Mario Campi à présent par terre, sur sa civière. Il se penche et, affectueusement, en italien, Karl était du Haut-Adige, il lui demande s'il veut parler, trahir, auquel cas il sera épargné.

Campi répond non, il ne trahira pas ses camarades.

Eh bien, aujourd'hui, après tant d'années – plus de quarante –, revoyant tout cela, réfléchissant et comparant, je me demande si ces peurs imaginaires, les soudains soupçons impérieux de Campi, je me demande s'il ne s'agissait pas de divination, s'il ne lisait pas l'avenir.

Mais reprenons le fil du récit.

Pour la première fois, tous les trois, Turri, Campi et moi, étions ensemble chez Silvio, la rôtisserie de la via Ugo Bassi, tellement accueillante qu'on regardait ces plats et ces vins comme une bénédiction du ciel.

Campi était fort physiquement, un beau visage, de rêveur. Certes, il était la proie de terribles fantômes, mais il suffisait qu'on le prenne à rebrousse-poil pour le trouver prêt à la bagarre.

Moi, je venais de la lie de la plèbe, du Viareggio marinier de l'époque, dès l'enfance habitué à jouer des poings, facile à provoquer. Et puis j'étais jeune, vingt-trois ans, on était en 1933.

Bref, Campi sortit une plaisanterie assez lourde sur les gens de la Versilia.

Je ramassai le gant, posai la fourchette, le fixai.

Campi comprit, il était désolé. Turri intervint :

— Quels beaux politiques on fait, de vrais voyous... entre nous on se...

Campi baissa la tête. Moi aussi. Ô jeunesse, comme tu es belle et pardonnable.

À partir de là, l'amitié nous unit aussi, Campi et moi. Avec Turri, elle était déjà solide.

Je l'ai dit, la rôtisserie de Silvio, via Ugo Bassi, exsudait le calme, des murs voûtés, de l'espace entre les tables, les clients respiraient le bien-être. Dans la cuisine s'affairaient des femmes, d'authentiques Émiliennes, des reines dans l'univers domestique, le repas tel un rite sacré.

Le patron, Silvio, était à l'image de son restaurant, un visage agréable, un ventre proéminent sans plus, dans ses yeux brillait la pensée que son commerce devait prospérer avec le maximum de rentabilité, à tout point de vue.

En sortant, nous étions déjà pratiquement trois abonnés.

Nous nous reverrions le lendemain.

Le champ s'est un peu élargi

On ne devient pas frères du jour au lendemain, mais peu à peu. Nos aveux mutuels ont été fondamentaux. Moi, à Viareggio, j'avais été seul, c'est en vain que j'avais cherché quelqu'un. Campi, de même, s'était démené désespérément à Ravenne.

Mais pas Turri, lui, à Reggio Emilia, avait eu tôt fait de trouver des amis, constituant dès lors une espèce de secte : ils se fréquentaient, se réunissaient, discutaient. Tous plus ou moins du même âge, dans les vingt, vingt-cinq ans.

Turri m'a confié qu'il avait été d'abord libéral, un pur libéral, parlant de justice sereine, de civilisation, du monde meilleur auquel aspirer.

Par la suite, avec des réticences, des ferveurs, des indécisions, des enthousiasmes, il s'est retrouvé communiste, il fallait intervenir, agir au sein du peuple, avec lui, avant tout supprimer l'exploitation de l'homme par l'homme, que chacun dès la naissance puisse lutter dans la vie avec les mêmes armes, la même culture, la même condition physique.

Ses amis, ses camarades de Reggio Emilia se disaient, avec quelque vanité, *marxistes*. Grandement aidés en cela par les ouvrages de Labriola, dénichés allez savoir où. L'enthousiasme ne parvenait pas à effacer complètement leur progression tâtonnante, une certaine confusion.

Un jour, Turri m'a invité à Reggio, où j'ai fait leur connaissance, une espèce de chapelle. Ils me sont apparus comme enivrés, croyant toucher du doigt leur idéal, avant de se raviser : « *Peut-être, bientôt.* » Ils serinaient des phrases qui les étourdissaient. Issus de familles laborieuses, eux-mêmes menaient une vie exemplaire. Certains poursuivaient des études universitaires, mais tous inclinaient vers les travailleurs, ceux qui œuvraient de leurs mains, leur plus grande dévotion allant aux ouvriers des ateliers. Ils se désolaient que Reggio Emilia comptât si peu d'usines. Ils rêvaient et s'exaltaient, le visage radieux.

Ceux de Reggio Emilia, donc, et nous trois à Bologne, Turri, Campi et moi, en dehors d'idéaliser l'avenir, nous étudiions le fascisme en détail, ses personnages, ses actes, la manière dont il évoluait, la façon dont il s'imposait, à quel point et qui il corrompait, qui étaient les vrais fascistes, combien il y avait en réalité d'authentiques fils de la Louve.

Nous étions très attentifs à la presse ; les journaux offraient des nuances, les uns plus soumis, d'autres laissant transparaître quelques lignes.

Un jour, Turri a découvert dans *La Stampa* de Turin à peine plus de trois ou quatre lignes, en dernière page, tout en bas, presque une négligence, un entrefilet bouche-trou, comme échoué là par hasard, par inadvertance.

Gramsci était mort. À la clinique Quisisana de Rome, il s'était éteint à jamais.

Turri, blême, l'expression intense, m'a tendu le journal, j'ai deviné qu'il s'était passé quelque chose d'important. J'ai lu. Je suis resté à mon tour stupéfait de douleur, une nouvelle qui portait un sens profond, inéluctable, telle était la vérité sur l'histoire italienne, la mort en pleine solitude.

Nous avons longuement commenté l'événement. Turri a partagé avec moi tout ce qu'il savait sur Gramsci, tandis que Campi juste à côté, peur et férocité mêlées, se disait à lui-même, à l'air ambiant, à tous les êtres humains qu'il imaginait devant lui : « Ils l'ont assassiné ! Ils l'ont assassiné ! »

Il y avait des différences entre un journal et l'autre, et il fallait faire preuve d'une grande attention pour les distinguer, et glaner la moindre information.

Même à nous trois, nous n'avions pas su trouver de conseillers, de personnes plus expertes que nous en politique. Nous faisions tout nous-mêmes, nous nous construisions brique après brique. Nous préparant, sans le savoir, à la Résistance, à la guerre civile.

Nous menions des vies ordinaires, pratiquement.

Nous allions de temps en temps dîner, une espèce de réunion politique, chez un vieux socialiste.

Un beau parleur, en vérité, qui se délectait à postillonner ses propos; de plus, il cultivait la bonne chère, peut-être aussi s'adonnait-il au sexe. Avant le fascisme, il avait soutenu, puis organisé, des coopératives d'achat, des associations d'entraide, les salariés payés bien chichement. Ensemble, ils montaient une droguerie ou un bazar; ils en étaient les administrateurs et les vendeurs, un socialisme appliqué.

Ces coopératives ont joué un grand rôle dans les bourgades d'Émilie, donnant aux travailleurs la conscience de l'organisation, l'idée que l'union fait la force. Dans les premières années du Régime, ces villages ont résisté aux groupes d'action, ont répliqué aux expéditions punitives des fascistes.

Ce socialiste qui nous invitait à sa table s'appelait Muccesi, sa femme, autrefois une belle plante, grande, pulpeuse, était à présent plutôt grasse; lui, certainement, la contemplait encore plein de prévenance.

Muccesi avait un fils, un vrai balourd, juste bon à acquiescer. Sa fille en revanche était passionnée et fort belle, blonde de peau et de chevelure, une déesse; la voix argentine.

Par ces invitations, en dehors de célébrer librement le passé, Muccesi devait caresser le secret espoir qu'un de ces petits docteurs s'éprenne de sa fille et la demande en mariage.

Me voilà en train d'écrire après toutes ces années, en pleine connaissance du futur de chacune de ces personnes, de leur destin.

Cette fille, la guerre venue, a été tuée par une bombe anglo-américaine, par les Libérateurs.

Les Muccesi s'étaient réfugiés dans un village près d'Imola.

La jeune fille a eu la jambe arrachée. Elle avait couru, pour échapper au bombardement, dans un champ de blé. Elle est morte de cette hémorragie. Son frère m'a raconté qu'allongée dans le champ, le visage tourné vers le ciel, ses yeux bleus grands ouverts, elle souriait dans la mort.

Son père, le socialiste Muccesi, qui nous invitait à dîner, était friand de ces réunions, il en buvait les sons, la fumée. Mais c'était un beau parleur, nous en avons eu la preuve durant la Résistance. Turri l'a incité, exhorté, en vain, il paraissait ne pas entendre, il ne se souciait même pas de vengeance, son seul plaisir étant sans doute de se remémorer les réunions d'autrefois.

Malgré tout, ces dîners, où nous parlions comme si la Dictature n'existait pas, les deux femmes souriantes, nos deux alliées, ces dîners nous réconfortaient, comme un baume contre la grisaille ambiante, contre cette torpeur où nous étions plongés.

Notre croix politique

Je suis connu comme le médecin des fous, à tu et à toi avec eux. J'ai vécu dans un hôpital psychiatrique pendant quarante ans, d'abord dans une seule pièce; puis on m'en a concédé une deuxième.

J'ai écrit des récits de mer : *L'Ange du Liponard*; *Sur la plage et au-delà de la jetée*; j'ai raconté des histoires politiques : *Pavillon noir*; *Le Clandestin*; mais on m'a étiqueté : médecin des fous.

Les aspects les plus extérieurs font votre réputation.

Mais ce qui nous unissait, la flamme qui nous animait, Turri, Campi et moi, c'était la politique, telle était notre croix, fichée dans notre cœur. Tel était notre secret, trois croix identiques, notre ère de catacombes en quelque sorte, comme si nous avions fréquenté Jésus.

À peine nous retrouvions-nous, aussitôt reprenait le dialogue à trois, l'invention d'un monde à venir.

Tels des moines tonsurés, aux paroles simples; nous nous disions disposés à agir pour donner vie à notre folle espérance.

Tous deux ont reçu des Médailles d'or, Turri comme héros de la guerre civile, Campi pour ne pas avoir trahi.

Moi, je suis ici pour essayer de leur graver des médailles de mots.

L'examen d'État

J'ai le désir de dire, d'expliquer comment nous vivions, nous les jeunes, sous la Dictature, comment nous y évoluions.

Voilà pourquoi je vais raconter cet examen d'État.

Déjà dans ce domaine, à ce point de départ, Turri était notre guide, déjà il avait l'âme d'un chef, même s'il ne s'agissait là que d'une affaire mineure.

Nous étions en 1936. À l'époque, après le doctorat, pour pouvoir exercer, les médecins devaient passer une épreuve, sorte de récapitulatif des six années du cursus, qui, le plus souvent, se déroulait dans une université différente de celle où l'on s'était diplômé.

Cet examen donnait quelques appréhensions. Outre les questions propres à chaque branche, de l'obstétrique à la neurologie et à toutes les autres spécialités, il y avait l'examen clinique. Ne pas être admis aurait été le premier échec de notre vie et, s'il était cuisant, nous serions indignes d'exercer. Cette épreuve effrayait même les meilleurs, les plus appliqués, dont, à vrai dire, nous étions aussi, Turri, Campi, moi, et un petit groupe qui de temps à autre s'associait à nous.

Turri, fraîchement diplômé, croisa dans la rue, à Bologne, un certain petit hiérarque de la même année que nous, un petit chef fasciste.

Il arrêta Turri et lui dit, avec une amabilité inhabituelle :

— Quelle ville as-tu choisie pour ton examen d'État ?

— Aucune, encore.

— Il y aurait une occasion...

— Je t'écoute.

— Je connais bien le secrétaire de l'université de Pérouse. Je l'ai aidé récemment, je l'ai tiré de sales draps. Il pourrait nous donner un coup de pouce.

— Du piston, ce ne serait pas si mal, cet examen est assez traître. J'en parlais hier avec Campi, Mario Campi, avec d'autres amis, tous soucieux, et tous avec une excellente moyenne.

— Exactement.

Le petit hiérarque avait toujours été un étudiant médiocre, il voulait s'allier aux forts, se déguiser, se fondre parmi eux.

Turri l'avait deviné :

— Mais oui, on pourrait constituer un petit groupe de six, sept, tous de Bologne, une représentation de notre université, les meilleurs de notre année ; et, naturellement, tu es des nôtres.

— Tu m'as compris ! s'exclama l'autre avec un sourire.

Un petit paon, le visage avec de beaux petits traits, la peau si claire qu'on l'eût dite poudrée, bien que ce ne fût pas le cas.

Turri se lança :

— Je pourrais y aller moi, à Pérouse, la liste à la main, et nous inscrire tous les sept. Je me présente au secrétaire : « On est un groupe de Bologne, notre moyenne aux examens... »

— Oui, oui, parfait. C'est exactement ça ! Et ce n'est pas tout, on ira tous loger au pensionnat que dirige le plus fameux *squadriste* de Pérouse, un autre ami à moi. Cet institut semble privé, en réalité il appartient au Parti. Son directeur est une autorité, à Pérouse, il nous sera utile.

— Tu as raison, dans cette affaire jouons tous nos atouts, il en va de notre avenir.

— Il y aurait qui, dans notre groupe ?

— Je te les cite tous : Campi, moi, Ottaviani, les meilleurs, tu verras, la crème de la crème, et toi parmi nous.

Le petit hiérarque n'avait jusque-là qu'imaginé vaguement son plan ; voilà qu'il le trouvait bien précis devant lui. Turri était le premier de la classe, aux examens, tous obtenus avec trente sur trente et les félicitations du jury.

— Oui... oui... bien.

— Il faut que tu me donnes ton adresse.

— La voilà. Il y a même le téléphone.

— Je peux te joindre à ce numéro?

— Oui, je dois rester à Bologne. J'ai à faire pour le Parti, un meeting après l'autre.

— Ce serait bien de s'inscrire tout de suite, dès le mois d'août, pour être les premiers. Je suis prêt à aller à Pérouse. J'inscris tout le monde. Dis-moi, il s'appelle comment, ton secrétaire?

— Merlini, le Dr Merlini. Je l'ai tiré de sales draps. Il n'était pas inscrit au Parti, et par-dessus le marché il puait l'antifascisme, il me doit une fière chandelle. Je suis sûr qu'il voudra me témoigner...

— Bien. Exactement ce qu'il nous fallait.

— On est d'accord.

Ils se serrèrent la main.

Le petit hiérarque repartit en roulant gentiment les épaules ; il se sentait un homme brillant, un stratège accompli. Il garda longtemps ce petit sourire imprimé au visage.

Tout se déroula comme prévu.

Turri nous avertit, Campi, moi et, de concert, nous choisîmes trois autres étudiants pour lesquels nous avions estime et sympathie ; il alla nous inscrire à Pérouse. Il y rencontra Merlini, le secrétaire de l'université, et rentra enthousiaste, un vrai renard, un fin renard, un acteur consommé et, qui sait ? peut-être couvait-il quelque dessein.

Comme les autres néodiplômés, nous allâmes à Pérouse un mois avant, pour connaître les professeurs, nos examinateurs, les observer, fréquenter leurs cours.

Pour notre trio d'amis, ce fut un mois spécial pour une autre raison encore : c'était sans doute la dernière fois que nous étions réunis, la vie ne tarderait pas à nous séparer ; or, à Pérouse, nous logions dans le même pensionnat, le couvent dirigé par le fameux squadriste, et même, nos chambres étaient mitoyennes. Cela ne s'était jamais produit. Si nous étudiions d'arrache-pied, il nous arrivait aussi de discuter politique des heures durant, imaginant ensemble l'avenir, couvant, caressant notre communisme idéal.

Nous avions le vent en poupe.

Dans ce pensionnat, ce couvent, nous nous conduisîmes en champions exemplaires de la belle génération fasciste, chaque fois que nous croisions le directeur, nous le saluions énergiquement, l'air grave et lucide.

Merlini, le secrétaire, se montra malicieux.

Avant notre examen, il eut une conversation avec le directeur, le squadriste. Il lui avait parlé à plusieurs reprises de ce groupe bolonais, exemple de la nouvelle jeunesse, mais la veille de notre examen, il eut avec lui un entretien plus serré.

Il le poussa à l'action, lui disant en clair qu'il fallait protéger ces jeunes Bolonais : parmi les examinateurs, il y en avait de fluctuants, de sinueux, d'hostiles au Régime, il était de son devoir de vieux squadriste d'aller trouver ces messieurs, ces mandarins, et de les avertir qu'ils étaient surveillés, qu'on était attentif, ce petit groupe de Bolonais représentait la nouvelle jeunesse, la jeunesse du fascisme.

Le directeur était un homme de peu d'esprit, laborieusement, non sans confusion, il assumait la charge qui lui était tombée dessus.

Il se laissa conseiller, diriger. Il prit rendez-vous avec le président de la commission d'examen, *pour accomplir son devoir.*

Le rendez-vous était à quatre heures de l'après-midi, Merlini nous en avait soufflé l'horaire; nous, depuis les fenêtres entrebâillées du pensionnat, nous espionnions le directeur s'éloignant, se rendant chez le président de la commission d'examen, plus pâle et plus emprunté que jamais.

Les épreuves commencèrent le lendemain matin. Le premier interrogé fut Turri. Il n'avait aucunement besoin de recommandations.

La commission, irritée par l'intervention du redouté squadriste, s'étonna d'abord, puis fut heureuse de constater que ces six Bolonais étaient tous brillants, brillantissimes, éblouissants. Pourquoi diable ce squadriste s'était-il mêlé de cela ? Moi, en particulier, sans doute dans un moment de grâce, j'obtins les félicitations, trente sur trente et les félicitations ; le président se leva pour me serrer la main, j'avais identifié histologiquement une maladie peu connue, presque une découverte.

J'ai bien dit *les six* Bolonais, non pas les sept.

Le petit hiérarque, ce benêt, avait combiné au dernier moment qu'il valait mieux se présenter seul, pour récolter tout le bénéfice des recommandations.

C'était sans compter avec la malice de Merlini, le secrétaire, l'antifasciste Merlini, assoiffé de vengeance après avoir dû s'humilier, rien que pour ne pas être inscrit au Parti, devant ce fat, ce blanc-bec, lui qui connaissait la vie, devant ce vaniteux dépourvu d'intelligence.

Le petit hiérarque descendit seul à Pérouse.

Nous, les six de Bologne, nous étions déjà loin, victorieux, rentrés dans nos foyers respectifs.

Le petit hiérarque, naturellement, à peine arrivé à Pérouse, se présenta à Merlini qui le reçut, obséquieux, offrant ses services. Le petit hiérarque ne devina pas quel serpent le dévorait de l'intérieur.

Merlini avait ourdi son plan. Désormais, il était un allié du squadriste de Pérouse, le directeur du couvent, presque l'un de ses pairs, lui aussi protecteur de la belle jeunesse fasciste.

Derechef, il alla trouver le squadriste.

Il entra dans son bureau.

À sa vue, le directeur se rembrunit. Il craignait d'être à nouveau prié, contraint de se présenter devant cette commission de professeurs qui, quelques jours auparavant, l'avait déjà écouté les lèvres pincées, dans un silence sévère. Il en avait éprouvé un profond malaise, en était ressorti mortifié.

Il était au courant lui aussi de l'arrivée du petit hiérarque.

Mais Merlini, à peine entré dans le bureau, se voulut rassurant.

Immédiatement, il entra dans le vif du sujet, les raisons de sa venue.

— Ceux-là étaient brillants, honnêtes, exemplaires. Le petit hiérarque, en revanche, n'est qu'un âne, malgré ses airs de qui a mené vos batailles.

» Pour les jeunes spécialistes, je m'incline, et je crois même, je suis sûr que vous êtes de mon avis : ce sont les dignes fils de l'Italie nouvelle. Peut-être l'ignorez-vous encore, mais le président m'a téléphoné : « Je vous remercie, et remerciez également de ma part le directeur… » Il a dit vos nom et prénom, en insistant. « Envoyez-m'en d'aussi brillants, j'en serai honoré. » Vous avez compris ? Il vous sait gré pour votre intervention. Au début, ils étaient restés sur la réserve, perplexes ; finalement, c'est la vérité, ils ont été assez impressionnés.

» La nouvelle jeunesse, c'est nous qui l'avons signalée, non pas recommandée, seulement indiquée.

» Et voilà que débarque cet âne. Faites alors comme vous voudrez, mais sans moi. Je suis venu vous le dire. Pour les ânes, je n'interviens pas. Vous, à votre guise. Moi, je défends uniquement les jeunes gens de valeur.

— Moi aussi ! s'exclama en se redressant le directeur, qui était au fond un brave homme. Moi aussi ! lança-t-il toni-truant de nouveau, heureux, car l'idée de devoir répéter la scène devant ces professeurs ne l'enchantait vraiment pas.

Merlini, sa mission accomplie, s'attarda un instant, avant de saluer et de prendre congé.

Il y eut alors un petit secret. Le directeur, demeuré seul, prit une initiative.

Il rédigea un billet à l'attention du président, dans lequel il le remerciait et se félicitait qu'eût été reconnue la préparation du groupe de Bologne. Il avait entendu dire qu'un certain néodiplômé – il en citait le nom –, en passe d'être entendu à l'examen, se présentait comme une figure du Parti, investi d'on ne sait quel pouvoir politique. Il voulait avertir qu'il n'avait rien à voir avec ce personnage. Que la commission applique la loi comme à son habitude, l'infaillible loi fasciste.

Le petit hiérarque fut solennellement recalé.

Il fut beau, ce mois à Pérouse, pour nous trois dans ce couvent, nos chambres voisines, libres de nous parler à tout moment.

La nuit, la lumière filtrait sous nos portes.

Toc-toc.

— Je viens te voir. Une petite pause... Qu'est-ce que tu révisais ?

Commençait à se dévider le fil, la grosse pelote de nos espérances. Parfois, l'aube pointait, et nous nous décidions enfin à tenter de dormir.

Ce fut un beau mois non seulement parce que nous vivions sous le même toit, mais aussi parce que pour la première fois nous évoluions vraiment dans la vie : le directeur squadriste, la commission, le stress de l'examen, et peut-être au premier plan ce Merlini, le secrétaire, amusant, mystérieux, capable de surprendre. Nous étions presque certains qu'il nous avait éventés : il fit à Turri de furtives allusions. Il ne se compromit en rien, mais nous fit comprendre qu'il était désormais à l'abri, ayant obtenu ce qu'il voulait, le directeur était son allié, et il se moquait éperdument de cet insignifiant hiérarque bolonais, et même, même, il méritait une bonne leçon, et il l'avait reçue.

Ce mois-là, à Pérouse, nous prîmes pied dans la vie.

Mais que nous réservait l'avenir ?

Le futur martyr est un bagarreur

Il était facile, à l'époque, de remarquer la lucidité de Turri, sa rationalité ; c'était le premier de la classe, un modèle de sérieux et d'application. Il était plus difficile d'imaginer comment il se comporterait durant la guerre civile : il était doté d'un caractère puissant, ignorant l'hésitation et non moins la pitié.

Quant à deviner l'avenir de Campi, c'était une autre paire de manches ! Quel feu rugissait dans cette poitrine ? Quel souffle enflait dans ce cœur ? Quel destin couvait dans son imagination ? Aurait-on pu deviner qu'il allait devenir un martyr ?

Je souhaite évoquer un petit épisode, qui remonte aux années où nous étudiions ensemble. La vie de tous les jours, souvent, fournit des *indices*.

Nous marchions, un après-midi, rue Zamboni, nous sortions de l'université.

Nous arrivâmes à la hauteur des Due Torri. Devant nous, le bar, comme d'habitude bondé d'étudiants venus de toute l'Italie, point de ralliement de futurs médecins.

— On prend un café ? proposai-je.

— D'accord.

Entre la caisse et le percolateur là-bas au fond, dans la grande salle, debout, de nombreux jeunes discutaient entre eux.

Après avoir réglé, patiemment, nous écartâmes plusieurs petits groupes pour accéder au comptoir où on nous servit notre café.

35

Les jeunes campés au milieu de la salle parlaient vraiment fort, exagérant leurs gestes, sans se préoccuper de ceux qui étaient contraints de les éviter, persistant dans cette vulgarité verbale qui empêchait les autres de mener une paisible conversation.

Campi et moi, laborieusement, nous frayâmes un chemin sur le côté, à l'aller comme au retour. Mais voilà, arrivé sur le seuil, je remarquai le visage de Campi parcouru d'ombres.

Je me mis à commenter :

— Incroyable. Mais bon, c'est comme ça : ce sont des Vénitiens, des Napolitains, des Toscans, et comme ils se retrouvent tous ensemble à Bologne, en particulier dans ce café, fiers étudiants, ils se comportent en maîtres, braillent comme des lavandières, car ici à Bologne... Imagine qu'on soit en Romagne, ou même à Ravenne, ils n'oseraient même pas y penser. Allons-nous-en, les si aimables Bolonais... Émiliens...

Campi s'arrêta. Je notai sa détermination, mais je ne vis rien venir, vraiment rien.

Il me serra le bras :

— Tu as raison. Attends.

Lentement il se dirigea vers le centre, au plus fort de cette densité, vers un groupe de Napolitains qui gesticulaient le plus.

Il commença par ces trois-là. Sans crier gare, il entreprit de les frapper, précis, posé. Un coup de poing sur un visage, sur un autre, dans l'estomac du troisième.

— *Icché ? Chillo !* entendit-on.

Campi était lancé. Accouru derrière lui, j'essayai de le retenir, en vain. Il agressa un second groupe avec une spontanéité plus féroce encore. Tel un possédé, n'entendant, ne voyant plus rien d'autre.

Il les étendit à ses pieds tous les quatre. À chaque coup, un de plus au tapis.

Les exclamations : « *Chillo ! chillo, xe xe, icché tu fai ?* » semblaient s'atténuer.

La clameur se clairsemait autour de lui.

Ils étaient en nombre, que ne s'unissaient-ils pour l'attaquer à leur tour ?

Un grand gaillard s'avança. Je songeai à jouer des poings moi aussi, pour aider mon ami.

— Prends ça, lui dit Campi qui l'avait laissé approcher, le jugeant peut-être plus redoutable.

Un coup sur les lèvres, je vis comme une dent se plier, le sang se mêler à la salive. Voilà le blessé perplexe, bien prudent. C'est moi qui le sauvai. Campi s'apprêtait à revenir à la charge.

Je saisis Campi par les épaules, le ceinturai, mais cela ne suffirait pas. Je lui murmurai à l'oreille :

— Attention. Les flics ! Filons.

Le déluge de coups s'interrompit, le torrent brusquement se tarit.

Je l'entraînai fermement par le bras jusqu'à la porte.

— Gare aux flics. Par là, par la via Santo Stefano. Nous sommes deux citadins tranquilles, souris, deux employés de banque, qui sortent tout juste du bureau.

— Ouais… ouais…, grommela Campi, encore haletant.

— On n'est jamais allés dans ce café. Tu n'y as jamais mis les pieds. Nie tout.

— Oui…, murmura-t-il.

La peur l'avait envahi, que la police saisisse et révèle, à cause de cette brève volée de coups, tous ses projets, bien insensés.

Nous mîmes de la distance entre nous et le café des Due Torri.

— Ce soir, allons manger au Foro Boario, lui dis-je avec calme. Personne ne se souviendra de rien. Il ne s'est rien passé.

— D'accord, consentit-il.

Il m'en était reconnaissant. Il était guéri. La peur, la terreur de la police s'étaient dissipées.

Je le retrouvai souriant à mes côtés, vaguement désireux de jouer les ironiques, de dévier carrément dans la fanfaronnade d'aventures sexuelles.

C'était Campi à cette époque, tel que nous le connaissions. Nous ne savions pas qu'il avait le don, les qualités pour être un martyr de la Résistance.

Le jour de l'an avec un grand bibliothécaire

Durant ce mois à Pérouse, l'idée nous traversait par moments l'esprit que nous allions nous perdre de vue. Les études terminées, notre amitié fatalement se dénouerait, pour ne devenir probablement plus qu'un simple souvenir.

Il n'en a rien été. Nous trois en tout cas, Turri, Campi et moi, nous avons conservé nos liens. Nous nous écrivions, les allusions dans de brèves cartes postales suffisaient, le dialogue se poursuivait.

Le service militaire nous a mobilisés près de deux ans, nous avons servi comme aspirants médecins dans des régiments différents, avant de rentrer chez nous.

J'ai tenté de m'adapter à Viareggio. L'accueil à l'hôpital de ma ville a été des plus restreint; le mot d'ordre était de m'ignorer, j'étais une ombre, un inconnu. Mon avilissement augmentait jour après jour. J'ai été particulièrement blessé par l'attitude d'un vieux médecin, Paolucci. Il avait longtemps fréquenté la pharmacie de mon père et m'avait connu enfant. Combien de fois j'avais couru à son cabinet en bicyclette pour l'aviser d'une visite, d'un client! Mon père, quand on lui demandait le nom d'un médecin de confiance, indiquait toujours le sien, et j'étais chargé de lui apporter le nom et l'adresse de ce nouveau client. Eh bien, lorsque je me suis présenté à l'hôpital de Viareggio, où il était médecin chef, c'est à peine s'il a daigné me reconnaître. Il était avare, y compris de ses sentiments, peut-être avait-il supputé en moi un dangereux concurrent.

Aiguë ma peine, durant cette période à Viareggio.

Jusqu'à la lettre de Turri, postée à Bologne :

« Rejoins-moi ; l'hôpital psychiatrique cherche deux praticiens. Aucun salaire, on est seulement nourris et logés. Quelle importance ? C'est toujours un début. Roncati, c'est un bel hôpital, tout près de la clinique bolonaise. On pourra même se spécialiser ! »

J'ai fait mes valises, je me suis rendu à Bologne, je suis entré à Roncati. Turri s'y était déjà installé. Notre situation administrative était comique : nourris et logés, mais pas un sou de traitement. En compensation, on avait deux chambres splendides, et on était servis par un fou, un malade, sévèrement halluciné mais on ne peut plus sympathique et amical. Dès le premier matin, je venais juste de me réveiller, il me donna un exemple de sa symptomatologie.

La veille au soir, j'avais remarqué qu'il manquait l'ampoule électrique dans la salle de bains. Je le lui signalai.

— Je cours en chercher une !

Peu après, il revenait, son ampoule à la main.

Mais voilà, il eut un mouvement brusque, une sorte de secousse. Il lança contre le mur son ampoule, évidemment elle éclata.

Il se tourna vers moi, souriant, satisfait, ravi.

— Je suis bien content que vous soyez là. Vous avez vu le coup qu'ils m'ont mis dans le coude ? C'est toujours comme ça, toujours les mêmes, ce sont eux qui me persécutent !

En dehors de quelques autres épisodes, du reste innocents, de quelque enchantement lorsque ces « voix » le persécutaient, il se montrait un parfait valet de chambre, serviable, plein de prévenance. Et donc : nourris et logés, sans traitement, mais excellemment installés et servis.

Autre avantage encore : cela faisait des années que l'hôpital n'avait pas compté de médecins jeunes. Parmi les infirmières, en particulier celles d'un certain âge, circula un chuchotement, la sympathie rayonnait.

Et en cuisine, quand ils apprirent que nous n'étions pas payés ! Ils nous préparaient de succulents repas, le chef en personne venait même frapper à notre porte à une certaine heure, passait la tête, nous demandait si nous étions contents. Après plusieurs jours que nous occupions ce poste, Turri découvrit dans un *Courrier médical* que l'hôpital psychiatrique d'Ancône cherchait deux jeunes assistants. Cette fois, il était question d'un salaire, 560 lires par mois ; pour nous, une fortune au cas où nous serions acceptés.

Nous avons fait acte de candidature. Une lettre est arrivée : nous avions gagné tous les deux le concours. Nous avons appris par la suite que les membres du jury d'Ancône avaient été convaincus par nos notes obtenues à l'université, et qu'ils nous avaient préférés aux autres.

Nous avons préparé notre départ, nous devions entrer en service le 1er de l'an, comme l'indiquait la lettre : « Prise de fonctions le 1er janvier. »

Il ne nous est pas venu à l'esprit de nous présenter le 2 janvier, sous prétexte que le 1er, c'était fête pour tout le monde.

Pour le réveillon, nous avions été invités par le socialiste bolonais, celui qui avait une bien jolie fille.

Le dîner fut encore plus festif que d'habitude, nous portions des toasts les uns après les autres : sous peu, le fascisme allait s'effondrer. La guerre approchait, et avec elle toutes les libertés.

Nous avions monté nos valises chez le vieux socialiste. Un train partait à trois heures du matin ; nous arriverions à Ancône juste à l'heure.

Et de fait, quand nous sommes descendus du train, il n'était même pas sept heures.

Nous avons dit au chauffeur de taxi :

— Conduisez-nous à l'hôpital psychiatrique.

Le premier surpris, ç'a été le portier :

— Le jour de l'an, et si tôt le matin ! J'avertis tout de suite le directeur ; il est déjà là.

Le directeur est venu à notre rencontre ; il nous a accueillis très affectueusement.

— Votre lettre indiquait le 1er janvier, s'est-il exclamé, mais nous ne voulions vraiment pas vous arracher à vos familles ! Le texte officiel mentionnait : « À compter du 1er janvier » – et le secrétaire a recopié bêtement.

Plus tard arriva le médecin qui aurait dû être de garde si nous n'avions pas déjà été là.

Il en profita en souriant :

— Lequel de vous deux ?

Il sous-entendait clairement « … se propose pour la garde médicale ? ».

— Moi, répondis-je.

Turri, depuis quelque temps, était éperdument amoureux. Pendant le voyage, il m'avait exposé que, s'il le pouvait, après s'être présenté, il filerait chez sa belle, à Jesi, tout près d'Ancône.

Les deux médecins et Turri s'en allèrent à leurs occupations. Je restai seul. Pour la première fois de garde à l'hôpital psychiatrique d'Ancône.

Fantaisie humaine, combien de cordes tu as à ton arc !

Dans le quartier réservé aux médecins, je pris possession de ma chambre, avec un petit cabinet adjacent.

L'infirmière chargée du service m'aida à défaire ma valise, à ranger mes affaires. Une infirmière silencieuse et efficace. J'ai très vite remarqué que tout dans cet hôpital procédait avec ordre, avec le sens du devoir.

Midi sonna. Les repas se tenaient dans un petit salon. L'infirmière m'annonça que c'était prêt. Je pris place à table. Un second couvert était mis.

Le Pr Tamberletti entra.

De taille inférieure à la moyenne, il avançait par petites saccades. Les mouvements des mains n'étaient pas plus naturels.

Je me levai, me présentai. Il avait çà et là sur le visage des nodosités.

Sa voix était stridente, elle changeait de ton, devenait aiguë indépendamment du sens de la conversation.

Entre-temps, l'infirmière, toujours dans son attention muette, avait tiré d'une armoire un drap pour le déplier.

Le professeur attendait debout.

Elle entreprit de l'envelopper, de l'emmailloter de ce linge comme on le ferait pour un nourrisson.

— Je suis un petit cochon ! s'écria-t-il dans un ricanement étranglé.

Toujours dans sa frénésie, il répéta :

— Elle doit m'emmailloter comme ça, un vrai petit cochon !

Je compris que si l'infirmière opérait de la sorte, c'était parce qu'il se salissait en mangeant à cause de ses mouvements brusques. Les nodosités comprimaient ses nerfs. De fait, le professeur souffrait de la maladie de Recklinghausen, une neurofibromatose diffuse, le corps ainsi envahi de ces nodosités.

Je voulus lancer un sujet. La soupe était déjà servie.

— La bibliothèque, ici... j'ai appris... très riche, complète...

Il agita en l'air ses deux mains, la cuillère tombée sur la table, il m'interrompit :

— Grâce à mon père, c'est lui, lui seul, il a offert tous ses livres de psychiatrie, un nombre considérable; on lui en envoyait du monde entier... Mais moi... moi... dommage que vous soyez arrivé tard. Il y a encore un mois de cela, c'était moi, moi qui possédais la vraie, ça oui ! la bibliothèque pornographique la plus complète d'Italie !

Il émit un long soupir libérateur, comme si son esprit n'était occupé que par ce sujet, qu'il avait enfin pu satisfaire, qui l'avait délivré de l'étouffement.

J'avais acquis quelque expérience en psychiatrie. Ce professeur assis en face de moi était-il dévoré de manies sexuelles ? En lien avec la maladie de Recklinghausen ?

À présent je distinguais plus nettement ses fibroses, les nodosités qui saillaient çà et là, sur le visage, le cou, et j'étais forcé de noter que l'expression était de vive allégresse, comme s'il éprouvait un plaisir intense. De cette voix suraiguë, qui tombait et remontait, il continua.

— Oui, oui, j'aime parler avec des jeunes encore inexpérimentés. Hélas ! hélas ! la plus belle bibliothèque d'Italie. Vous vous seriez amusé, aujourd'hui, je vous aurais prêté tout ce que vous vouliez. Mais c'est Gina, oui, Gina, c'est elle qui m'a obligé ! Je vois que vous n'en êtes qu'à vos premières armes. C'est Gina qui m'a obligé! C'est elle! Quels livres, complets, avec des photos, des dessins, des textes d'auteurs.

L'infirmière poursuivait le service comme si elle n'entendait et ne voyait rien, habituée sans doute à ces scènes du professeur. Par moments, elle se retirait dans le réduit situé derrière la petite salle à manger. Sur une table en marbre reposait un plateau-repas, elle était certainement allée le chercher à la cuisine centrale. Elle en emplissait les compartiments et nous l'apportait.

Le professeur, en se tachant, postillonnant çà et là, avait fini sa soupe. Il a relevé la tête, jusque-là à tu et à toi avec son assiette.

C'était le moment d'affronter la question de Gina, de qui il s'agissait. Il n'était pas difficile de soupçonner que le Pr Tamberletti avait en réserve d'autres délices qu'il aurait l'ardent plaisir de me déverser dessus, moi le jeune innocent.

— Comment cela, elle vous a obligé?

— Qui, Gina?

— Oui.

— C'était une prostituée de mes amies, d'Ancône. Livre après livre, c'est elle qui m'a forcé, elle a voulu tous les détruire, elle disait qu'elle allait les brûler. Elle était jalouse, elle me voulait pour elle toute seule. Chaque jour, je devais lui apporter un livre, un album, une revue, sinon elle se fâchait, une vraie furie, et moi je me délectais d'être son esclave. Je n'avais pas le droit de me couper les ongles, je devais les laisser pousser afin qu'elle les taille en pointe avec de petits ciseaux, pour former de vrais stylets acérés. C'est dans le tram qu'ils me gênaient le plus, ces ongles, pour enfiler les doigts dans mon gousset, attraper les sous. Quand j'y pensais, je mettais la monnaie dans les poches du pantalon. Des ongles longs, et pointus! comme ça je ne pouvais pas toucher les autres femmes.

Je l'imaginai dans les différents secteurs de l'hôpital, rédigeant les fiches cliniques, visitant les malades. Que pensaient les sœurs de son secteur, lorsqu'elles se trouvaient à côté de lui?

Le professeur éclata d'un rire convulsif :

— J'aimais être réduit en esclavage, j'aimais ça, ce que j'aimais ça. Gina était une maîtresse. Sans doute en jouissait-elle elle aussi, ce n'était pas que pour l'argent. Elle était *comme moi!* *comme moi!* Chaque jour un livre, d'abord elle le regardait, puis elle menaçait de me fouetter. Elle a détruit toute la bibliothèque, la plus belle d'Italie. Assurément, la plus belle. Mais celle de mon père, allons donc!

Un assez long silence. L'infirmière, toujours contrite, débarrassa.

La branche d'un pin, dense d'aiguilles vertes, effleurait les vitres de la petite fenêtre près de moi.

Le professeur se leva. Son visage s'était assombri, enlaidi; une forte douleur l'oppressait au point de lui ôter la parole. L'infirmière le libéra de son linceul.

Il se dirigea vers sa chambre, située en face. Je le saluai. Il répondit à mon salut entre deux quintes de toux sèche.

C'était le 1er janvier 1939.

Hôpital exemplaire

Il y a donc eu cette période de l'hôpital psychiatrique d'Ancône.

Nous connaissions des moments d'exaltation, la liberté déjà serrée dans nos mains; d'autres jours de mutisme, la proie d'interrogations amères.

La guerre a fini par éclater, le fascisme a été réduit en cendres, mais comment pouvions-nous en être certains, à l'époque?

En attendant, notre chance était d'être tombés dans un hôpital exemplaire : le mérite en revenait au directeur qui y avait été en fonction jusqu'à quelques mois auparavant. Il s'appelait Modena, un Juif. Son diplôme en poche, il était allé à Munich, dans l'hôpital de Kraepelin, l'homme qui avait apporté ses lumières sur les maladies mentales, leur donnant une physionomie, une identité précise; Kraepelin était un grand scientifique.

Modena y avait appris non seulement la psychiatrie, mais l'art de diriger un hôpital de façon moderne.

Rentré en Italie, il avait pris des contacts, à la recherche d'un emploi. Celui qui à l'époque dirigeait la psychiatrie en Italie, et qui en substance y faisait la pluie et le beau temps, était précisément le père de Tamberletti, l'érotologue, qui avait passé avec moi le jour de l'an.

Modena était allé trouver le Pr Tamberletti et n'avait pas manqué de le renseigner sur tout ce qu'il avait vu à Munich, à l'hôpital de Kraepelin.

Le Pr Tamberletti avait considéré d'un bon œil ce Modena, il l'avait aidé pour l'agrégation, et un accord tacite s'était établi entre eux.

— Je te nomme directeur à l'hôpital psychiatrique d'Ancône, et tu t'occupes de mon fils. Tu sais que j'ai un fils, mon fils unique, atteint de la maladie de Recklinghausen ainsi que d'autres bizarreries. Je te le confie, tu le réfréneras. Pour la direction à l'hôpital d'Ancône, je m'en charge.

Et voilà : Modena, *directeur*, et le fils de Tamberletti, *médecin chef*.

Les années avaient passé, et la maladie du fils de Tamberletti ne s'était pratiquement pas manifestée. Du reste, il avait une mémoire prodigieuse, et son père lui avait inculqué des comportements, l'obligeant à certaines rigueurs qu'il exécutait à la lettre. Il se limitait à des confidences auprès de jeunes médecins comme moi, et satisfaisait sa luxure plus imaginaire que réelle auprès de vieilles prostituées en ville qui parfois prenaient goût à ces extravagances érotiques, s'en amusaient, sans négliger le gain pécuniaire.

Son père, le célèbre Tamberletti, assez reconnaissant que son fils eût trouvé à l'hôpital psychiatrique d'Ancône un bénéfique refuge, avait légué à cet établissement sa très riche et fameuse bibliothèque, passionnément soignée sa vie durant comme s'il s'agissait de sa progéniture.

Cette bibliothèque était devenue la fierté de l'hôpital et, de fait, Turri et moi, dès notre arrivée, nous avons commencé à la fréquenter, pour découvrir quel trésor elle représentait.

C'est là, par exemple, dans cette bibliothèque, qu'une nuit j'ai déniché le petit livre de Cotard, décrivant pour la première fois la maladie qui a pris son nom par la suite.

Une chance, un cas de Cotard était hospitalisé là, à Ancône, délire de négation et immortalité ; en l'occurrence, un secrétaire de fédération fasciste avait été frappé par cette maladie mentale.

M'aidant du livre, j'ai étudié le cas et j'en ai concocté ma propre explication. J'ai publié mon travail sur la *Rivista di Freniatria* sous le titre : « Le syndrome de Cotard ou la

46

conceptualisation impossible », étude qui a suscité des louanges jusqu'en France.

Mais outre la bibliothèque, l'hôpital psychiatrique d'Ancône bénéficiait de la direction passée du Pr Modena. Non seulement celui-ci avait apporté tout ce qu'il avait appris de Kraepelin à Munich, mais il avait aussi profité des habitants des Marches, de leur nature couplant intelligence et modestie ; cette absence de morgue les rend plus pénétrants d'esprit et plus aptes à comprendre les labyrinthes de la folie, à collaborer efficacement avec le psychiatre, avec le médecin de secteur.

Malheureusement, à notre arrivée, Turri et moi, nous n'avons plus trouvé le Pr Modena. Même s'il s'était converti depuis longtemps, inspiré par sa femme très pieuse, s'il avait embrassé la religion catholique – et sans doute avait-il peu à craindre –, toutefois, écœuré par les lois raciales qui commençaient à gangréner l'Italie, il avait quitté la direction de l'hôpital. Sans enfants, il s'était retiré avec sa femme dans leur petite maison de Rome.

Ç'a été une chance pour nous de débarquer dans un hôpital aussi antiprovincial, européen ; la psychiatrie et l'étude nous ont délivrés de nos fixations politiques. Cet hôpital nous enseignait un métier, nous ouvrait aux mystères de la folie. Turri a été nommé aux secteurs des femmes, moi chez les hommes et, bientôt, nous avons été amenés à diriger nous-mêmes l'établissement, les deux autres médecins se souciant de leurs visites privées, tandis que Tamberletti batifolait avec ses nymphes luxurieuses.

Pour notre part, nous passions tout notre temps avec les fous, nous discutions de tel ou tel symptôme, nous dressions le portrait des malades – bref, nous parachevions notre formation.

Par ailleurs, nous ne manquions plus de rien, logés, nourris, blanchis. Et nous bénéficiions, comme je l'ai dit, de l'inépuisable bibliothèque ; une nuit, même, nous avons découvert, derrière une rangée de vieux livres, des ouvrages politiques, des œuvres de Labriola, aussitôt dévorées.

Cette pause dans l'hôpital psychiatrique d'Ancône a été une grande chance dans notre vie, comme si quelqu'un nous avait ménagé cette détente pour mieux nous préparer au prochain tumulte, nous consacrer à notre croix politique.

Aujourd'hui, peut-être paraissons-nous naïfs, des possédés, voire des criminels puisque c'est ainsi qu'un des premiers lecteurs de ces pages à l'état de manuscrit nous a définis.

Turri et moi étions là-bas à Ancône, et le troisième, le futur martyr, Campi, était à Trente, se forgeant une expérience de chirurgien.

Tous deux nous parlions sans arrêt de lui, et Campi nous évoquait toujours dans ses lettres, parfois il nous surprenait d'un coup de fil.

La seule pause, c'était quand, le dimanche matin, Turri partait pour Jesi retrouver son Irene adorée, qui préparait sa licence de critique d'art. Le soir même, infailliblement, il rentrait à l'hôpital. Il n'était pas d'usage, à l'époque, qu'un fiancé dorme dans la maison d'une jeune fille.

Les parents d'Irene l'accueillaient avec bonheur, le regardant comme un fils, oubliant déjà son aveu de la semaine précédente, fantaisies des jeunes gens à l'âme pure.

Turri avait pris l'air grave, intense, de qui est hanté par un devoir pénible. Il s'était approché de ses beaux-parents et leur avait dit qu'il désirait leur parler seul à seul, sans la présence d'Irene, celle-ci étant déjà au courant. Il souhaitait en revanche que soit présent également leur fils.

Les beaux-parents avaient répondu :

— Mais bien sûr, quand tu veux.

Ils s'étaient isolés dans le petit salon attenant, avec le fils lui aussi concerné.

Turri, resté deux ou trois secondes la tête baissée, l'avait relevée et, en les fixant :

— J'ai un idéal politique, le communisme. C'est pour lui que je combattrai, quitte à me sacrifier moi et ma famille, à courir tous les risques, bref à m'engager corps et âme dans la lutte. Voilà ce que je tenais à vous dire, afin que vous sachiez à qui vous donnez la main de votre fille.

Les vieux, et leur fils, l'avaient écouté sans sourciller. Ils voyaient en Turri un excellent parti, bon à tous égards, il avait même fini premier de sa promotion, en médecine, aux examens il obtenait toujours trente sur trente et les félicitations.

Ils lui avaient souri comme s'il n'avait rien dit de grave, il était bon, généreux même envers les humbles, un vrai chrétien. Jamais ils n'auraient imaginé qu'il dirigerait un jour le Septième GAP, des centaines et des centaines de morts, des deux côtés toutes les cruautés possibles.

Son beau-père avait murmuré qu'ils lui conservaient toute leur confiance, qu'il suive donc ce que son cœur lui dictait.

Les deux vieux, s'ils avaient dû préciser leur pensée, auraient répondu : « Les rêves d'une belle âme. Ce jeune homme se consacrera toujours et seulement à notre Irene, à sa famille. »

Il en est bien allé ainsi durant plusieurs mois, de batailles même pas la moindre esquisse.

Turri a déménagé d'Ancône à Reggio Emilia. Le mariage a été splendide, avec tous ces jeunes gens, beaux, souriants, bardés d'espérances.

Turri a emmené sa jeune épouse chez lui, à Reggio Emilia, dans le nid qu'il avait préparé.

On a annoncé la naissance d'un petit garçon, qui est arrivé, plein de vitalité, il occupait toute la maison.

L'histoire continue sa marche indifférente au bonheur des hommes.

La guerre a éclaté. Turri a été rappelé. On l'a envoyé en Grèce, moi en Libye. Tous les deux aspirants médecins.

J'anticipe, mais ici j'ai envie de raconter un épisode comique, l'histoire de la médaille d'argent. Ensuite je reprendrai le fil de cette période où je me retrouvai seul à l'hôpital psychiatrique d'Ancône, Turri ayant convolé avec sa jeune épouse.

Ainsi donc tous les deux nous avons pris part à la guerre, mais Turri, le communiste, a été décoré par ses propres ennemis fascistes, par l'armée du Duce. Celui qui a certains talents, même malgré lui, ne peut s'empêcher de les manifester.

Un après-midi, il se trouvait dans sa tente médicale, à endurer la guerre fasciste, lorsque les Grecs, discrètement infiltrés sur une colline proche, ont ouvert le feu et ont commencé à avancer.

Ils avaient compris combien les Italiens étaient sous-équipés et peu motivés par cette guerre. On devine alors leur exaltation.

Turri, les jours précédents, épiant depuis sa tente pour passer le temps, avait étudié le terrain, s'était même amusé avec des camarades à reconnaître les alentours.

Et voilà que, brusquement, les Grecs ouvrent le feu et commencent à descendre dans la gorge qui sépare les deux collines.

Face à l'urgence, les officiers italiens de l'armée combattante se montrent incapables de prendre des décisions, ils tergiversent. Les soldats, laissés l'arme au pied, restent tapis au sol.

Turri, depuis son poste d'observation, comprend dans quelle situation stupide se sont fourrés les Grecs en s'engageant dans cette gorge sans protéger leurs flancs, et à quelles difficultés ils se sont exposés s'il leur faut remonter. Pourquoi se fourvoient-ils ainsi ?

Près de la tente, il y a deux positions de pièces de 149 et un peloton de mitrailleurs.

Ces derniers aussi se tiennent muets, dans l'expectative.

Turri va les trouver et, s'improvisant commandant, il ordonne :

— Visez là, tirez, on va nettoyer tout ça, ils ont été assez stupides pour s'engouffrer là-dedans, sans couverture.

Aux pièces de 149, il y a un sergent et un adjudant. Ils approuvent de la tête et tirent.

Turri passe aussitôt aux mitrailleurs. Ils comprennent immédiatement, obéissent le cœur léger.

Aux secondes salves, les Italiens sont plus précis.

Voilà les Grecs désemparés, pris au piège d'une action menée sans discernement.

Les mitrailleurs visent de mieux en mieux. On voit les Grecs tomber, rouler dans les creux, des cris résonnent.

Entre-temps, les positions derrière la tente de Turri, jusque-là inertes, ont saisi la bonne occasion. Elles aussi, lors des douloureuses batailles des jours précédents, ont tâté de la guerre ; elles entrent en action.

À présent les Grecs ne cherchent plus qu'à détaler.

Turri distribue ses ordres, précis et fermes. Un guerrier-né. Il a complètement oublié qu'il est médecin, là pour soigner les blessés ; il vole d'une position à l'autre. De plus, les Italiens ont la lumière en leur faveur, l'ennemi ayant attaqué en plein jour.

Les officiers combattants, restés muets dans un premier temps, se reprennent, honteux de ne pas s'être comportés en militaires.

Les soldats sont de vrais enfants, ils s'enthousiasment au jeu de la guerre, ils accourent, tuent.

Le soir, autour des gamelles, il n'est question que de ce récit, de l'exploit de cet aspirant médecin. La rumeur arrive jusqu'au colonel, jusqu'au général. Un matin, Turri est appelé au poste de commandement. Le général lui dit quelques mots, lui serre la main et lui épingle sur la poitrine une médaille d'argent. Faisant de lui un héroïque soldat de l'armée fasciste.

Plus tard, Turri n'évoquait l'épisode que si on le lui demandait, et prêt à en sourire comme s'il avait joué un bon tour à son époque. (Par la suite, Campi et lui reçurent les vraies médailles, celles de la Résistance, des Médailles d'or.)

Ainsi ses beaux-parents, ce jour-là, lorsqu'il leur avait annoncé ses intentions politico-guerrières, n'en avaient nul-lement été troublés, leur gendre témoignait d'une âme pro-fondément chrétienne. À quoi s'ajoutait comme nouvelle preuve cette médaille d'argent, sûrement décernée pour son dévouement envers les malades et les blessés.

Les mois se sont succédé, rien ne les arrête, pas même l'histoire.

Turri est rentré de la guerre, s'en est acquitté avec une petite blessure.

Ses beaux-parents étaient aux anges : leur fille attendait un deuxième enfant, certainement aussi beau que le premier. Turri souriait.

Le fascisme s'est effondré, quarante-cinq jours plus tard c'était le 8 septembre, à savoir la reconstitution d'une Dictature encore plus féroce, les nouveaux fascistes complices des formations criminelles allemandes.

L'heure de la bataille était arrivée.

Aussitôt Turri est passé à l'action, il fallait rassembler, organiser, inciter ceux qui pensaient à peu près comme lui, encourager et donner l'exemple, trouver des armes, l'heure avait enfin sonné, qu'on attendait depuis des années.

Turri n'a pas été actif seulement dans sa ville de Reggio ; il a mené l'action à Bologne, où il avait longtemps habité, et où il connaissait les politiques les plus ardents.

Les tout premiers jours, il n'était pas possible d'user de circonspection, de prudence, de recourir à ce qu'on appellerait par la suite les lois de la clandestinité. Il fallait approcher jusqu'aux plus incertains, les hésitants, faire preuve d'audace.

Les nouveaux fascistes étaient les plus venimeux, ceux qui durant le Régime avaient dû ronger leur frein pour des raisons politiques.

Toute la journée, Turri cherchait des affiliés ; les fascistes l'ont repéré, c'était un organisateur infatigable et courageux, ils ont commencé à suivre ses faits et gestes, c'était un ennemi de la république de Salò.

Une nuit, ils ont cogné à sa porte.

Il a demandé qui c'était, a ouvert.

Les fascistes. Durs, méprisants, violents.

— T'es un Italien répugnant, on sait quelle propagande tu fais, ce que t'essaies d'organiser, et que vous cherchez des armes. On t'arrête, fumier, tu vas comprendre qui sont les vrais fascistes, traître à la patrie et envers nos alliés allemands. Suis-nous, descends avec nous.

Non contents de l'avoir emmené, ils ont aussi arrêté sa femme, enceinte, et même le gamin. Ils les ont contraints à monter dans leur voiture. Turri derrière, avec sa femme Irene, qui serrait dans ses bras le petit garçon hagard.

Ils ont pris la direction de la prison.

Le fasciste assis devant, à côté du chauffeur, était le plus enragé. Il ne cessait de se retourner et, lâchant injures et insultes, frappait Turri en plein visage.

Le petit observait en silence, de temps en temps il serrait l'avant-bras de son père.

Ainsi durant tout le trajet. Turri, pour ne pas aggraver la situation, supportait tout en silence.

Cette scène m'a été racontée par Turri lui-même et par Irene après la Libération, quand je logeais chez eux à Bologne, à l'occasion de ma spécialisation en médecine légale.

Je me suis mis à raconter cet épisode avant l'heure, allez savoir pourquoi, peut-être est-ce la candeur de ses beaux-parents qui a déclenché ces propos.

Turri a évoqué ce tabassage sans rancœur. Il s'est contenté de commenter d'une voix calme :

— Ce qui m'ennuyait le plus, c'était d'être frappé devant elle.

Et il indiquait Irene, sa femme, qui s'est mise à murmurer :

— Ce séjour en prison, une horreur, je ne pouvais pas voir Aldo, il était dans le quartier des hommes, moi j'étais enceinte, et je ne savais pas comment distraire le petit, Giusi... Mais c'est encore avec mes parents que j'ai passé les heures les plus éprouvantes. Ils étaient venus me voir, pauvres vieux, ils ne comprenaient pas pourquoi j'étais là, j'ai tenté de leur expliquer : c'était comme si je parlais une langue étrangère. Ils avaient toujours vécu à Jesi, une ville comme une grande famille, certes les fascistes y étaient aussi, mais ceux de l'ordre, des meetings. J'ai su par la suite que mes parents étaient allés parler au directeur de la prison, et que leur intervention avait été bénéfique, ils l'avaient assuré de notre totale innocence, les fascistes ont cru alors qu'ils avaient exagéré. Ils ont fini par nous relâcher, après un mois et demi d'incarcération ; après cela, nous nous sommes montrés plus prudents, nous avons appris à respecter les règles de la clandestinité.

— C'était notre initiation, les jeunes ont besoin de leçons, a dit Aldo avec un sourire, Aldo Turri.

Et de nouveau j'ai constaté qu'il ne conservait pas de haine pour cet épisode, c'étaient les règles du jeu.

Mais reprenons le fil. Revenons au moment où je me suis retrouvé tout seul à l'hôpital psychiatrique d'Ancône, puisque Turri s'était marié et que, naturellement, il avait emmené sa bien-aimée dans son nid de Reggio Emilia.

Seul, bien seul, la guerre sur le point d'éclater.

Bien seul

Je menais une vie isolée à l'hôpital. En ville, je ne connaissais personne. J'éprouvais parfois une solitude aiguë, douloureuse; je tentais de l'oublier en écrivant et en étudiant la maladie mentale. Et plus rien ni personne dans l'hôpital, malades et personnel compris, n'avait de secret pour moi.

Il m'arrivait de bavarder avec le vieux capucin, lui aussi permanent à l'hôpital. Un soir, il m'avoua :

— Si vous saviez quels tourments m'ont valus mes sens. Vous voyez là, devant cet autel, une nuit je me suis fouetté rageusement. J'étais poursuivi par des visions, vous devinez lesquelles.

C'était un capucin robuste, fort, issu du peuple, d'une famille paysanne, visage bien dessiné, barbe blanche. On se croisait souvent dans la journée; s'il s'était confié, c'est qu'il avait senti que j'étais un peu comme lui. À présent, il devait être en paix avec ses sens; cependant brillait parfois dans ses pupilles une lueur, une étincelle qui aussitôt disparaissait ou s'éteignait.

J'ai passé toute cette époque en vase clos avec les fous, sans autre perspective.

Quelle fête ç'a été, le matin où j'ai vu arriver Campi.

Il venait de Reggio Emilia. Quand il l'avait appris, il avait lancé à Turri :

— Tout seul à Ancône! Demain matin, je pars le voir. Je vais rendre visite à Ottaviani.

Il me parla de ses progrès en chirurgie, lui aussi vivait à l'hôpital, dormant dans une petite pièce voisine du bloc opératoire.

Il me raconta qu'il était allé en Suisse pour nouer des liens avec d'authentiques camarades, de vrais membres du Parti, des hommes d'action ; ils lui avaient donné des adresses secrètes à Ravenne. Un échec, il n'en était ressorti qu'hésitations et suspicions, une vraie confusion. Il en était reparti avec la nausée.

— Il faut agir seuls, par nous-mêmes, grommela-t-il dans son doux sarcasme.

Alors que je le raccompagnais au portail, par l'allée, le taxi en attente, il manifesta son hyperréflectivité, des réflexes brutaux et incontrôlés.

Affectueusement, tandis qu'on marchait, je l'avais pris par le bras.

Dans un sursaut, il se détacha de moi.

— Je ne supporte pas les contacts !

Je souris au souvenir d'autres épisodes d'hypersensibilité physique, de souffrance, c'était une nature mêlant l'imagination, la volonté, l'abnégation, ainsi qu'une profonde pudeur et une certaine délicatesse féminine.

L'apparition de Campi avait été comme un éclair dans une étouffante nuit d'été. J'étais bien seul. L'unique distraction de mes soirées était de me rendre en ville. L'hôpital n'était guère qu'à un kilomètre et demi du centre. Je longeais le port, regardais défiler les navires. Le matin, parfois, j'allais pêcher avec un infirmier.

Ancône : psychiatrie et, en secret, écriture. Lors de mes promenades dans la rue principale, j'avais, il est vrai, croisé le regard d'une fille grande, des yeux vifs, noirs, avec une pointe d'arrogance, mais je ne m'étais pas approché, de peur de trop m'engager ; je n'étais pas enflammé d'amour.

Les mois se succédaient. Une nuit où je rentrais de la ville et regagnais l'hôpital, il se mit à pleuvoir, j'étais sans parapluie et l'eau me battait le visage. Fait rare chez moi, je me mis à pleurer. Je pleurais dans la rue déserte, sans réconfort, la monotonie pour trouble avenir, la pluie pour seule compagne.

Avec mon peuple en guerre

Il finit pourtant par se passer quelque chose de nouveau. Le directeur de l'hôpital psychiatrique de Gorizia cherchait un jeune médecin, mais réellement psychiatre, non pas un de ceux qui, pourvu qu'ils trouvent un poste, voulaient bien s'accommoder quelques mois des fous.

Il connaissait mes habitudes, il m'écrivit en même temps qu'il écrivait au directeur d'Ancône, le Dr Paoli. Dans ses lettres, il disait que, si je rejoignais son hôpital, il me ferait nommer, malgré mon jeune âge, médecin chef dans l'année. Je recevrais de l'administration provinciale l'assurance de cette nomination.

Paoli regretta mon départ mais il me conseilla en honnête homme :

— Ne ratez pas une pareille occasion, allez-y.

Je rassemblai mes affaires et, le matin même où, une valise dans chaque main, je me dirigeais vers le taxi, le directeur courut à mes basques, me rattrapa et m'embrassa comme un fils.

Je me retrouvai à Gorizia : combien cette ville était éloignée des Marches et plus encore de la Toscane ! Quelle histoire différente elle avait derrière elle ! Avec de nombreux malades, je devais communiquer par l'intermédiaire d'un interprète : ils parlaient croate.

Le slavisme rampait, sinuait, couvait, réapparaissait. Souvent je remarquai une façon de réagir qui tenait du sauvage.

Je développai alors une forte nostalgie pour l'Italie, qui m'oppressait de plus en plus.

Ce fut le *Papier rouge* qui m'en libéra. Il ne s'était pas passé un mois.

À l'époque, sous le fascisme, durant le service militaire, en particulier durant la période de « premier appel », on nous avait dit et répété avec emphase que, dès réception du *Papier rouge*, notre devoir sacré était de nous présenter sur-le-champ à notre district militaire ou, en cas d'impossibilité, au district militaire le plus proche du moment. Le *Papier rouge*, c'était la patrie qui appelait.

À ce moment-là, mon district était à Ancône, je n'avais plus qu'à reprendre le train.

Le directeur de Gorizia, qui ne voulait pas me perdre, commença à me tendre des perches :

— Ne vous précipitez pas, réclamez une visite, vous pourriez avoir quelque dérangement, ici je compte de bonnes relations parmi les médecins militaires de l'active...

Bref, il m'incitait à devenir un embusqué.

J'ai préféré suivre le destin.

De nouveau les valises, et le train pour Ancône. Je ne suis pas allé à l'hôtel. Je me suis présenté à l'hôpital psychiatrique comme si j'étais de retour à la maison, on m'y a accueilli avec une fête et immédiatement logé; les sœurs l'une après l'autre sont venues me saluer.

Le lendemain matin, je me présentai au directeur de l'hôpital militaire, un colonel qui avait une réputation de sincérité, de droiture, ainsi que d'une profonde bonhomie.

Durant les heures précédentes avaient dû défiler devant lui une cohorte d'officiers médecins, leur *Papier rouge* à la main, et tous s'étaient déclarés malades, frappés de maux tous incompatibles avec la vie militaire.

Je suis entré dans son bureau. Il se tenait debout, près de sa table.

Je n'ai pas eu le temps de le saluer que, déjà :

— Vous aussi, vous réclamez une visite? Vous vous prétendez malade? Vous refusez de faire votre devoir? Présentez-vous ici demain matin. La nuit porte conseil.

Hésitant, comme si je ne savais pas où aller, j'ai descendu l'escalier. Mille pensées se bousculaient en moi. Je me suis retrouvé dehors.

Devant la caserne s'étendait un espace vide. De petits groupes de soldats y conversaient amicalement.

J'ai levé les yeux. Le ciel était bleu et frais.

Sereinement j'ai pris ma décision : « Va avec ton peuple. »

J'ai tourné les talons, je suis rentré dans l'hôpital, j'ai monté l'escalier, je suis arrivé dans la petite salle qui précédait le bureau du colonel. J'étais encore habillé en civil.

L'adjudant de service m'a demandé d'un ton brusque ce que je voulais.

Comme si je portais déjà l'uniforme, avec mes étoiles, je l'ai fixé sévèrement :

— Arrangez-moi donc cette tenue !

Et je lui ai indiqué le col de sa chemise déboutonné à cause de la chaleur.

J'ai frappé à la porte du colonel.

— Entrez.

J'ai ouvert la porte.

Le colonel était occupé à écrire.

— Mon colonel, je pars pour là où je dois partir.

Le colonel a souri, s'est levé, m'a serré la main.

J'ai esquissé un garde-à-vous, comme si j'étais déjà sous les drapeaux.

— Vous êtes envoyé en Libye. Départ dans trois jours. Allez saluer votre famille. Soyez ici après-demain.

Nouvelle poignée de main.

Je suis sorti. J'ai refermé la porte.

L'adjudant, qui avait reboutonné sa chemise, a sursauté dans son salut.

De nouveau dehors. J'ai regardé le ciel. Je me suis senti heureux.

Les différents fronts nous séparent

Moi en Libye, Turri et Campi en Albanie. Tous deux là-bas, mais sur des fronts différents, si bien qu'il a fallu longtemps avant que chacun reçoive des nouvelles de l'autre.

Campi, aspirant médecin dans un bataillon de chasseurs alpins, s'est épris de ces soldats courageux et enjoués. Aussi, lorsqu'il a rallié les formations partisanes, a-t-il pris comme nom de guerre *Montagna*, qui devait retentir par monts et par vaux autour de Belluno durant la Résistance, jusqu'aux oreilles allemandes.

Turri était, je l'ai dit, aspirant médecin dans un régiment d'infanterie, sur le front grec.

Pour avoir de ses nouvelles, j'ai écrit à sa femme Irene, à Reggio Emilia. Naturellement, j'ai mis mon adresse libyenne.

Un matin, dans le soleil aveuglant de Marmarique, m'est arrivée une lettre de Turri, il énumérait les séquelles d'Albanie, et relatait la visite de Campi.

Ce dernier avait réussi à le rejoindre, en Albanie. Ayant appris que son camarade et ami Turri servait dans la même contrée, il n'avait eu de cesse de réclamer ; on lui avait enfin accordé une permission pour aller le retrouver.

Ses jambes pour tout moyen de locomotion, glanant des indications, il avait finalement déboulé dans la tente de Turri, qui était loin de s'attendre à l'apparition de son ami.

Ce voyage risqué n'était pas mû par la seule affection. Campi avait un mobile secret : le testament.

Sur son secteur de guerre aussi, nombre de soldats et d'officiers se purgeaient peu à peu l'esprit des brumes fascistes, le vacillement de l'armée préfigurait l'effondrement du Régime. Les lendemains qui chantent s'annonçaient-ils enfin ?

Mais s'il mourait dans ces montagnes ? Il faudrait en ce cas le faire savoir, que Turri en témoignât : son esprit et son affection avaient toujours été voués à ses camarades, son dernier regard avait porté sur l'idéal communiste. Chaque fois que son nom serait prononcé, Turri devrait en témoigner.

Turri avait écouté l'âme tumultueuse de son ami révolutionnaire et le rassura.

— Mais tu ne vas pas mourir, dit-il en souriant. On va vite retrouver l'Italie, et là commencera notre bataille.

Turri était à part

Turri était à part. Lorsqu'il étudiait une situation, il écartait tout sentiment personnel, entièrement concentré, il analysait, comparait, résumait brièvement des cas analogues, ajoutait, retranchait. Et finalement, en dernier ressort, trouvait la solution.

Son visage prenait une expression particulière, ses pupilles s'immobilisaient, il ne s'y insinuait aucune lumière et, lorsque la solution se dessinait, même ses paupières ne battaient plus.

Turri était l'historien de la réalité qui évoluait autour de lui.

En outre, il avait la peau claire, un visage toujours pâle. Ce teint, ajouté à l'immobilité des pupilles, des paupières, de tout le visage, marquait plus encore son dévouement, sa disposition à admirer les choses de ce monde, et rien qu'elles ; les sentiments, toute émotion, étaient, dans ces instants enfouis, au fond d'un puits.

Déjà à l'université on décelait cette attitude ; elle s'est manifestée de plus en plus. Lorsqu'il a dirigé le Septième GAP, elle est devenue quasi légendaire : il pouvait se produire une explosion à côté de lui, il demeurait imperturbable, plongé dans ses calculs, évaluant les données qu'il devait à cet instant exploiter.

Ces mêmes pupilles immobiles que tentaient de percer ceux qui attendaient la sentence, lors des procès qu'il présidait.

Le Septième GAP bolonais (*Septième*, car six autres groupes opéraient dans la région) a accompli toutes sortes de missions, audacieuses, imprévisibles, voire cruelles, impitoyables. Ce à quoi mènent les guerres civiles.

Eh bien, l'accusé le plus souvent se taisait, comprenant que ces pupilles ne renfermaient ni pitié, ni miséricorde, ni non plus la méchanceté, la haine, ou la soif de vengeance, qu'elles n'accepteraient jamais les fourberies, l'intrigue, les pathétiques demandes de grâce.

De ces pupilles ne s'écoulaient que les lois.

Les passions avaient existé dans le passé, les fantasmes enflammés. À présent, on affrontait la réalité, celle du champ de bataille, infliger et subir, on combattait pour vaincre.

Autour de Turri flottait une aura que les autres commandants ne possédaient pas ; cela venait aussi de la précision de ses prévisions, qui se vérifiaient toujours.

C'était lui, tout seul, qui étudiait l'action, la prochaine action, lui qui choisissait les hommes idoines, qui les préparait, qui expliquait les différentes étapes : « ... à ce moment-là, tu dois être prêt à tirer encore. S'il y a réaction, elle ne peut venir que d'ici, de la droite. Si tu t'enfuis, tu es mort, tu dois rester immobile, le doigt sur la gâchette... » et ainsi de suite, chaque détail anticipé.

Chaque fois, tout ce que Turri avait prévu se produisait, et les gappistes, exaltés par le succès de l'opération, lui prêtaient un pouvoir presque surnaturel, et l'adoraient.

Dans les prochaines pages, je m'attarderai plus calmement sur le Septième GAP, sur quelques épisodes révélateurs. Pour l'instant, pardonnez-moi, je ne peux m'empêcher d'en revenir à Campi, du moins à ce bref épisode où il est venu me voir à Florence.

Revenir à Campi, car ce fut la dernière fois.

Je ne devais plus jamais le revoir.

Retour dans la patrie, Campi vient me voir

Tous trois, donc, sur différents théâtres de guerre, comme pour nombre d'Italiens.

Je suis resté en Libye des mois et des mois; Turri, blessé à l'oreille, a été rapatrié. Jamais il ne m'a parlé de cette infirmité, je ne m'en souvenais que lorsqu'il marmonnait :

— Je me mets de ce côté, j'entends mieux.

Campi a passé toute la guerre en Grèce. Avec les chasseurs alpins, ç'avait été une belle rencontre : outre un caractère semblable, ils s'accordaient pour les chansons.

Personne ne rendait aussi bien que lui les sentiments du peuple dans ses paroles. Il les teintait d'un amour intime, les répétait pour lui-même, s'en délectait, on devinait dans ces berceuses et dans les mots prononcés avec clarté l'innocence et la grandeur du peuple. Les plus touchantes étaient celles sur Garibaldi et sa fille Anita, Garibaldi en fuite, Anita mourant dans la pinède, les autres femmes autour d'elle, les Romagnoles, le dialogue, les confessions.

Si Campi s'arrêtait pour une pause, je le priais :

— Continue.

Il semblait alors sortir d'un rêve. Il se taisait, se rembrunissait comme s'il avait eu tort de s'abandonner de la sorte. Qu'était-il ? Une femmelette, qu'émouvaient deux malheureux vers ?

Campi rechignait à dévoiler les blanches veines de son âme. Il voyait là un défaut, une faiblesse pour un révolutionnaire.

64

Turri, je l'ai dit, était différent. En permission, il s'amusait à railler les réalités de l'Italie. Par exemple, alors que j'étais toujours en Libye et qu'il était déjà rapatrié, il m'écrivait et glissait dans l'enveloppe, négligemment, une coupure de journal où s'étalait une longue publicité pour de belles villégiatures, vantant la meilleure cuisine qui soit, les paysages enchanteurs, et tous les charmes du pays.

Je recevais ces lettres en Marmarique, sous un soleil aveuglant; durant la nuit, dans notre petit baraquement de chirurgie, des jeunes gens étaient morts. Je restais avec la coupure de journal à la main, portrait sur papier glacé de ma patrie. C'est ainsi, on connaît la fourberie mais on ignore l'honneur, qui le peut n'a qu'à fuir.

Il s'agissait d'une authentique coupure de journal, c'était l'Italie, la vraie, et donc la censure laissait passer.

Ainsi je continuais à dialoguer avec Turri, il me disait que fatalement, bientôt, s'effondrerait une nation aussi superficielle. Je devais me réjouir, notre temps allait venir.

J'ai regagné l'Italie à mon tour, Campi m'avait précédé d'un mois. À présent nous étions tous trois de retour du front. Nous nous sommes revus.

Nous n'avions guère envie de discuter, nous l'avions fait par le passé. Nous avions hâte plutôt d'agir. Mais comment? Nous l'ignorions. La guerre tristement se poursuivait. Nous étions aux premiers mois de 1943.

De cette époque précisément me revient en mémoire la visite que Campi m'a rendue à Florence. Je veux la raconter afin d'éclairer autant que possible la personnalité d'un homme qui, lorsqu'il l'a fallu, a été capable de se sacrifier.

J'étais en permission de convalescence dans mon pays, à Viareggio, en attendant de savoir si j'obtiendrais ou non une pension de guerre. Je commençais à m'ennuyer, les hôpitaux psychiatriques manquaient de médecins, à cause de la mobilisation. Je me suis présenté au directeur de l'hôpital de Florence. J'ai été reçu, on m'a attribué un service, une chambre au troisième étage, sous les toits. À Florence, j'avais des amis écrivains, le peintre Rosai.

Je suis resté à Florence plusieurs mois, dans la joie. À l'hôpital, je m'acquittais très tôt de mon travail, et disposais du reste de la journée à mon gré.

À l'époque, les hôpitaux psychiatriques étaient ordonnés, les infirmiers vigilants, dans chaque service régnait l'attention ; car la folie sévissait dans toute sa vérité.

Un matin, vers onze heures, le portier frappe à ma porte, l'air soucieux. Il gravit les trois étages à pas de loup, laissant de garde à la loge un infirmier, pour quelques minutes.

— Docteur, il y a en bas un type assez bizarre. Je suis monté vous avertir. Il a demandé après vous. Je lui ai dit : « Je vais voir s'il est là. Vous pouvez vous asseoir. – Je n'entre pas », m'a-t-il répondu sèchement, et il s'est planté là, pour attendre, devant la loge, mais de l'autre côté de l'allée, comme s'il préparait quelque chose.

— Bon, allons voir de qui il s'agit. Je descends, ai-je dit au portier.

— Je n'aime vraiment pas ça. Vous feriez mieux d'avertir le directeur…

— Non… je le connais peut-être. Allez-y, je vous rejoins tout de suite.

Le portier, sceptique, a refermé la porte et s'est dirigé vers l'escalier.

Peu après j'étais en bas à mon tour. En passant devant la loge, j'ai remarqué que depuis son repaire le portier surveillait les mouvements de cet individu qui avait demandé après moi mais sans vouloir entrer : c'était Campi.

J'ai couru l'embrasser.

Le portier nous regardait, étonné.

— Monte. Pourquoi voulais-tu rester dehors ?

— Pour ne pas être repéré.

— Comment ça ?

— Je suis ici en mission politique.

— Monte. Je dois me changer. Après on ira manger ensemble.

Campi m'a suivi non sans réticence.

Je lui ai dit que le portier s'était alarmé devant ses façons, mais je n'ai pas insisté, car il m'écoutait, incrédule.

Son imagination galopante l'avait conseillé de travers. Cette loge d'hôpital ne renfermait aucun ennemi, personne à l'affût, mais il se les était inventés.

— J'ai à te parler.

— Je t'écoute.

— C'est le Parti qui m'envoie.

J'ai deviné lequel.

— Avec quelle mission?

— Te demander si tu veux collaborer avec nous.

— En quoi?

— Il faudrait que tu nous renseignes sur tous les écrivains florentins, ce qu'ils pensent, ce qu'ils comptent faire, leurs personnalités, ce qu'ils disent, tout. Nous renseigner régulièrement.

Campi était on ne peut plus tendu.

Je suis resté un instant silencieux. Jouer les espions me répugnait.

— Non, ai-je dit. Ma réponse est non.

Il a poussé un long soupir de libération. D'un coup, il est devenu incroyablement joyeux, il avait l'air si soulagé. Sa mission était terminée, plus personne ne le guettait, il redevenait un citoyen ordinaire. Il est redevenu normal. Plus personne ne le poursuivait, ne l'emprisonnait, pas même l'OVRA, la police fasciste.

Nous sommes descendus ensemble. Il a salué cordialement le portier, d'un air dégagé. Il s'est retourné pour rééditer son salut. Nous sommes partis déjeuner de bon cœur.

Le portier en est resté bouche bée, que j'aie un ami pareil. Il aurait été encore plus déconcerté d'apprendre que Campi s'était comporté ainsi « pour ne pas être repéré ».

Et pourquoi ne pas mentionner une autre anecdote, que je tiens cette fois d'une femme de service encore jeune, et qui décrit bien aussi cet être hors du commun?

Nous suivions le cours des élèves aspirants médecins – nous trois toujours, Turri, Campi et moi – et nous avions loué une chambre. Elle nous servait pour notre linge, pour nous changer à notre aise durant la permission quotidienne.

Le logement était plutôt spacieux, situé via Ghibellina, en face du théâtre Verdi et, partant, les propriétaires louaient d'autres chambres aux artistes de variétés.

Ils avaient une femme de service, très jeune.

Un après-midi, par ses minauderies, j'ai compris. Et consenti aimablement à répondre à ses avances.

Pendant la pause, elle s'est répandue avec chaleur sur mes amis, celui qui l'intéressait avant tout était Campi, qui ne prononçait jamais un mot, qui la commandait par signes, un homme incompréhensible à ses yeux.

Quand je l'ai approchée de nouveau quelques jours plus tard, elle s'est épanchée en riant :

— Ton copain Campi ! Il a sonné la cloche, je suis entrée. Je l'ai trouvé tout nu au milieu de la chambre, son affaire en l'air. Il me l'a désignée en silence. Tu ne vas pas le croire. Je me suis retrouvée à genoux, à lui obéir. L'opération terminée, j'ai levé les yeux. Il m'a fait signe de m'en aller. Il a fait comme ça du doigt. Pourtant il m'est sympathique, combien il m'est sympathique ! Je n'en ai jamais connu un autre comme lui, et c'est pas faute d'en voir défiler, avec tous ces artistes qui fréquentent la maison.

Campi est venu me voir à l'hôpital psychiatrique de Florence, puis je ne l'ai plus jamais vu.

Plus jamais.

Adieu Campi

Nous sommes restés éloignés, sans rien savoir les uns des autres, plus de deux ans.

Nous nous sommes tous trois engagés dans la Résistance. Notre conception, nos théories, les espoirs, les idéaux que nous avions conçus prenaient corps, se faisaient chair (et mort).

Nous autres, en Toscane, nous en avons fini les premiers; août-septembre 1944. Nous étions en deçà de la ligne Gothique, les Alliés sont arrivés chez nous, et se sont arrêtés.

De l'autre côté, en Ligurie, en Émilie, au nord, à Belluno où se trouvait Campi, les actions ont continué, avec une extrême férocité.

Quand l'Émilie a été libérée, et finalement toute l'Italie, nous, nous étions déjà depuis plusieurs mois à tu et à toi avec la démocratie, la liberté, les nouvelles règles, les partis.

J'ai essayé d'entrer en contact avec Turri. Je n'ai reçu aucune réponse de Reggio Emilia. De Campi, je savais seulement que, chirurgien à Trente, il avait dû fuir et qu'il avait pu se réfugier à Belluno. C'est tout. De Turri, rien.

Au début de l'automne 1945, une fin d'après-midi, j'étais dans mon réduit de l'hôpital psychiatrique de Lucques : un lit, le bureau, un étroit rayon de livres.

La porte s'est ouverte en grand. J'étais assis dans mon fauteuil. Turri connaissait bien les lieux. Il était arrivé, avait passé la loge, avançant avec assurance. Le portier incapable de le suivre.

Il était accompagné de trois autres types, dont l'un avait perdu un bras.

La porte grande ouverte, il m'a fixé :

— Campi a été pendu. Moi, j'ai dirigé le Septième GAP. Et toi, qu'est-ce que tu as fait ?

Nous nous sommes embrassés. Presque aussitôt, j'ai pris conscience qu'il dégoulinait du sang versé, il était venu avec trois de ses hommes, ils se rendaient à Rome. Les événements ont surgi, denses, les uns appelant les autres, les images défilant, notre Campi y apparaissait constamment, la corde au cou, endurant les tortures du lieutenant Karl. Au bois des Châtaigniers, on l'avait pendu.

Turri et ses trois camarades étaient venus en voiture. J'ai proposé qu'on allât dîner.

J'étais déjà allé plusieurs fois chez Stipino, une *trattoria* de la banlieue de Lucques, campagnarde, charmante ; toute la famille y travaillait, depuis les grands-parents jusqu'aux belles-filles. C'est là que je les ai conduits.

Nous avons occupé la petite salle qui ne comptait qu'une seule table.

Comme cela arrive quand on est encore jeune, une atmosphère détendue s'est très vite installée. Au premier abord, les sentiments qui grouillaient, toujours aigus et violents, la toute récente cruauté qui nous imprégnait encore, semblaient charger l'air de tension.

Une fois le repas entamé, la douleur s'est atténuée ; le sujet est cependant demeuré le même toute la soirée.

Turri, du fait de tous ces souvenirs que nous avions en commun, aurait préféré un tête-à-tête avec moi à me murmurer ceci et cela, mais ce n'était pas facile. Ses trois soldats n'arrêtaient pas de le citer. Ils rappelaient tel ou tel épisode ; comme d'habitude, il avait été le principal témoin de leurs actions, et donc : « *Iacopo !* » lançaient-ils, puisque tel était le nom de guerre qu'il s'était choisi.

D'un signe, Turri avertissait que l'interruption dérangeait, et tous trois se taisaient, leurs derniers mots s'étiolaient, mouraient.

Manifestement ils craignaient Iacopo, Turri, les actions partisanes, les ordres dénués de miséricorde, étaient trop récents pour que l'autorité du chef cessât, même la guerre finie.

Mais bientôt, malgré eux, réunis par les souvenirs, ils s'écriaient de nouveau : « *Iacopo !* » Presque une imploration.

Le manchot, un chauffeur de camion, le vénérait. Jamais il ne l'avait vu trembler, jamais hésiter. À un moment où Turri s'adressait à l'un d'eux, il s'est penché à mon oreille et :

— ... les bombes tombaient tout près de lui, rien de plus que des flocons de neige, lui à l'avance il savait ce qui allait se passer...

Outre ces trois gappistes que Turri avait emmenés avec lui, assez marqués encore par l'uniforme militaire, il y en avait un quatrième, Cicconi. Élégant dans ses moindres gestes, affable, il n'avait rien d'un homme du peuple ; il se tenait silencieux.

Il avait pris part à la Résistance – je l'ai su par la suite – en raison de passions personnelles, et avait vite fait preuve de certaines qualités : un organisateur-né, politique et administratif, expert dans la conduite de missions délicates et en même temps courageuses. C'était lui qui établissait les horaires, fixait les rendez-vous, tenait les comptes, bref, un précieux secrétaire.

Durant ce dîner dans la trattoria lucquoise, Cicconi ne s'était pas encore dévoilé, mais j'ai remarqué qu'il était attentif à tout.

Nous retrouverons notre Cicconi plus tard, honnête homme de Reggio Emilia.

Ce soir-là, moi aussi je réveillais de temps en temps mes souvenirs, mais, à l'évidence, ils avaient été, eux, contraints à une bataille autrement rude, désespérée, interminable, et, par moments, s'étaient sentis tels des naufragés, abandonnés de tous ou presque, cernés par un monde franchement hostile ou du moins très circonspect.

Plus tard, Turri lui-même m'a décrit placidement le déroulement de nombreux faits, mais là, durant ces premières heures, c'était comme si ces gars revenaient tout droit de la bataille, étonnés d'être vivants, avec une sourde jalousie, une vague envie mêlée d'admiration pour ceux qui étaient tombés. J'avais le sentiment de saisir, entre un mot et l'autre, l'héroïsme dont ils avaient été témoins, ou du moins ces moments où l'héroïsme se manifestait ou trompetait.

J'espère avoir l'occasion par la suite de relater fidèlement certains épisodes de Turri.

Turri, ce soir-là, durant une pause, m'a glissé :

— Demain, on va à Rome. Pourquoi ne viendrais-tu pas avec nous?

Ce voyage me tentait.

— D'accord. Dès demain matin, j'en parle au directeur.

J'avais veillé à ce que tous quatre puissent dormir à l'hôpital. Nous disposions d'un tas de chambres vides. Le directeur en fonction n'était jamais là, se consacrant entièrement à ses visites privées, pour subvenir aux besoins de sa famille nombreuse. À l'hôpital, c'était moi qui faisais tout, il ne m'était pas difficile de m'occuper de l'accueil des uns et des autres.

Le lendemain matin, m'étant fait réveiller plus tôt, j'ai téléphoné au directeur :

— Mais bien sûr, vas-y, reste autant que tu veux, amuse-toi. Sors donc de cet hôpital.

— Et ici...?

— C'est rien, c'est rien. Je m'en charge.

Le directeur était un optimiste sceptique : ne jamais se soucier d'enquêter sur la folie, sur les fous. Tant qu'ils n'outrepassaient pas les bornes.

L'hôpital resterait livré à lui-même, mais j'étais tranquille. À cette époque, on pouvait compter sur le sérieux et la compétence des surveillants et des infirmiers.

Je suis parti pour Rome avec la brigade. Cela faisait longtemps que je ne bougeais plus de Lucques.

Un vrai bonheur! Nous avions un fatras d'événements à mettre en ordre. De quoi mobiliser l'imagination, fantasmer sur demain, sur l'avenir proche.

Nous sommes partis le matin, une journée au ciel frais. À Livourne, Turri et ses hommes avaient rendez-vous avec le philosophe Galvano degli Albizzi, qui s'est montré ponctuel.

Il n'était même pas onze heures que, unanimes, excités comme des gamins qui font l'école buissonnière, nous avons décidé d'aller déjeuner. Nous avons repéré une trattoria. Le patron a répondu en souriant :

— Mais certainement, volontiers. Installez-vous.

L'Italie sortait d'une pauvre guerre, de privations, pain et accompagnement mesurés. Nous, les survivants, nous avions une longue faim à calmer. Avec quelle voracité et quelle insouciance nous nous sommes assouvis, commentant notre avidité comme si elle était sur le point de se transformer en réalité.

Le restaurateur de son côté avait besoin de gens comme nous, à rassasier, à faire payer.

Mes amis étaient en mission. Comme chaque fois au moment de l'addition, notre aimable secrétaire Cicconi, le propriétaire de Reggio Emilia, se levait, ouvrait soigneusement son carnet, notait, réglait. Nous étions comme les agents d'un important service.

Galvano degli Albizzi était un enchantement; il aspirait à devenir le philosophe officiel du Parti communiste; marxiste, il prophétisait le matérialisme, et de se retrouver au milieu des héros, des combattants pour le prolétariat, de se retrouver surtout près de Turri, dont il connaissait les exploits, il était profondément ému.

Tandis que se mêlaient les paroles, il a été dit que Galvano degli Albizzi possédait une villa, qu'il était noble, d'une vieille famille. J'ai eu envie de le questionner sur le lieu de ses origines, sur ses terres, sur les hauts faits de ses ancêtres.

Le philosophe s'est épanché de plus en plus sur sa famille. Chaque phrase donnait plus de chaleur à la suivante. Nous commencions à prendre goût à des sujets aussi nouveaux. Nous étions saturés de haines et de vengeances. Un soupir de libération. Il nous fallait aussi du jeu, du divertissement, de la comédie, de la farce. Je me suis retrouvé la baguette à la main. Turri avait déjà assisté par le passé à mes pitreries.

— Oui, oui..., ai-je murmuré, ravi, singeant ce bon Albizzi : ... Voilà, c'est la nuit. Dans les salles désertes, tu invoques tes ancêtres. Ils descendent des tableaux accrochés aux murs... Les voilà qui t'entourent. Ils ont des clés dans les mains, ils te les offrent, tous leurs trésors sont à toi.

J'ai continué :

— ... Écoute le froufrou des soieries, les dentelles qui flottent. Tout revient. Tout est revenu. Les voici, dans leurs fauteuils, ils se redressent; ils savent tout sur toi, ils ont confiance en toi, ils t'ont suivi, ils te sourient. Tu détiens toutes leurs clés. Une multitude...

— ... Ah, que c'est beau... comme ce serait bien... a murmuré le philosophe en regardant devant lui, comme hypnotisé; et il souriait comme si ses ancêtres descendus des tableaux défilaient réellement sous ses yeux.

Une petite comédie de quatre sous! Cependant, la brigade assistait bienveillante, désirant se distraire, se reposer, oublier le poids de la guerre civile. Personne n'a relevé que le marxisme de Galvano degli Albizzi, du philosophe, avait roulé sous les chaises. Nul ne s'en est plaint.

Nous avons tranquillement repris notre voyage pour Rome.

À Rome, une fois installés à l'hôtel, Turri m'a fait signe, il voulait me raconter tout ce qu'il savait sur notre ami Mario Campi.

Nous nous sommes isolés.

Sandrina était allée jusqu'au bois des Châtaigniers et avait parlé à tous ceux qu'elle avait pu rencontrer. Sandrina, c'était la mère de Campi, qu'il adorait, même si la communication avec elle tournait sans cesse à l'explosion : le matin, en période d'examens, il se levait, ouvrait la porte de la chambre, c'est-à-dire l'envoyait battre contre le mur et criait en bas, en direction de la cuisine où sa mère attendait.

— Sandrina! une côtelette!

Campi, le matin, en bon Romagnol, déjeunait non pas d'un café au lait, mais d'un morceau de viande.

Ces façons grossières et orageuses ne faisaient que masquer la tendresse qu'il avait pour sa mère. Pour ne pas risquer de pleurer, il lançait des ordres absolus.

Il l'a prouvé encore dans la prison de Belluno, lorsque le lieutenant Karl le torturait.

Après quoi, on le rejetait dans sa cellule. Un autre détenu, chargé des corvées, est devenu son confident.

C'est ce même détenu qui a raconté par la suite que Campi évoquait si souvent sa mère, avec quelle émotion il répétait son prénom.

Le père de Campi, un électricien, était quelqu'un d'assez taciturne, alors que Sandrina bavardait volontiers.

À la Libération, Sandrina a attendu son fils.

Les jours passaient dans le silence. Un soupçon lui est venu, une ombre, qui s'est étendue. Elle savait où son fils avait été partisan : à Belluno. Elle a rassemblé quelques affaires et, elle qui d'habitude se pliait aux ordres, obéissait à son mari, elle lui a annoncé en deux mots qu'elle partait :

— Je vais chercher Mario.

À Belluno, elle a appris toute l'histoire. Parlé avec tout le monde, ceux de la prison, ses camarades, lorsqu'elle a atteint le bois des Châtaigniers où son fils avait été pendu, elle a touché les arbres.

Puis elle s'est rendue à Trente, où Campi avait été chirurgien. Là aussi, elle a interrogé les gens à propos de son fils : il était aimé de tout le monde.

De retour d'Albanie, Campi avait repris du service à l'hôpital de Trente. Avec ses mains à la fois fortes et fines de pianiste, sa résistance physique et la meilleure préparation scientifique, il s'était révélé, comme on dit, un chirurgien-né.

Sauf que la passion politique, la religion communiste, l'avait poussé vers la propagande, l'entraînant à recruter des adeptes, à parler avec les humbles, attirant sur son nom la suspicion. Lorsque le 8 septembre a sonné, il a été averti du risque d'être arrêté, il s'est caché, il a disparu.

À Belluno, on avait besoin d'un commissaire politique. Le Parti l'a envoyé là-bas.

Campi, sous son nom de bataille, Montagna, a commencé à organiser la Résistance dans la région du Piave, sur les deux rives, droite et gauche.

Sauf qu'il était chirurgien, et la nouvelle s'est répandue. Quand quelqu'un tombait gravement malade : « Il y a ce partisan chirurgien ! Montagna. » Et on l'appelait.

Campi faisait tout : plâtrer les jambes, aider les bébés à naître, opérer des hernies étranglées, des appendicites.

Bref, le bruit a couru par ces montagnes que, dès qu'on l'appelait, il apparaissait et intervenait.

C'est la voie qu'a empruntée la torture.

En tant que commissaire politique, il a été convoqué un jour à Belluno pour une réunion.

L'imagination de Campi, on le sait, s'enflammait facilement. Il se peut que cette expédition commandée, le fait de dormir dans un endroit qu'il n'avait pas choisi lui aient provoqué des visions, des innombrables dangers qui le guettaient s'il était pris, et ç'a été le cas.

Il a dormi dans une bâtisse affectée par le Comité de Belluno à l'hébergement des gens de passage. À leur insu, à cause du va-et-vient de personnes aux visages inconnus, cette bâtisse avait éveillé les soupçons de la police, qui l'a placée sous surveillance.

À deux heures du matin, ils ont investi sa chambre. Arraché à son sommeil, Campi a dû s'habiller pour être emmené à la préfecture de police.

Pour ce genre de situation, il avait prévu un alibi : il était un médecin de passage, les hôtels affichaient complet, untel lui avait indiqué cette maison, on y louait des chambres à la nuit.

Il a su par la suite que les enquêteurs, au début, ne l'avaient pas considéré comme quelqu'un d'important, ils s'étaient même demandé s'ils n'allaient pas le relâcher très vite. La ville grouillait de trafiquants du marché noir, qui rôdaient à travers villes et campagnes pour acheter de la nourriture ou troquer des bijoux, les inévitables intrigants qui fleurissent durant les guerres, les crises.

Sauf qu'est survenu l'incident malencontreux.

Tandis que le flic l'interrogeait, par routine, est entré dans la pièce un de ses collègues qui avait vu Montagna, oui, c'était bien lui, Montagna, dans une maison de paysans.

Ce policier l'avait vu descendre d'une échelle de meunier, quittant la chambre où une femme avait donné le jour à un enfant.

Montagna était passé devant lui pour se diriger vers l'évier afin de se laver les mains ensanglantées.

Il était resté encore quelques instants dans cette maison pour répéter ses conseils.

Le policier, un enquêteur en civil, avait fait semblant d'être venu seulement pour le marché noir, pour se ravitailler auprès des paysans. Dès qu'il avait deviné de qui il s'agissait, il s'était rencogné dans un endroit plus sombre.

Montagna parti, les commentaires ont témoigné de la gratitude de ces paysans envers ce chirurgien partisan. Il avait été impossible de transporter leur fille, déjà aux prises avec les douleurs de l'accouchement, jusqu'à Belluno, elle serait morte en chemin. Montagna, appelé, était descendu aussitôt.

— Il n'a même pas voulu boire le café !

Le policier, en mission d'espionnage, avait recueilli le plus de renseignements qu'il avait pu, avait évalué le profil de Montagna, à savoir un chef : ils en parlaient avec révérence, et il était apparu qu'il connaissait très bien le maire, d'autres notables locaux. Ce devait être une sorte de commissaire politique, vu ses liens avec la population.

Le policier avait rapporté tout cela en bas, à Belluno, où on détenait déjà des informations :

— Oui, on sait. Il se fait appeler Montagna. On nous a dit qu'il a l'accent émilien.

Quand ce flic est entré dans la pièce où Campi était interrogé, il l'a immédiatement reconnu.

Il a touché l'épaule de son collègue, lui a murmuré l'importante nouvelle. On a appelé le brigadier. Aussitôt après entrait le commandant.

Le bal a commencé, qui devait se terminer par le balancement sous un arbre du bois des Châtaigniers.

Très vite l'interrogatoire s'est durci, mais Campi restait ferme, il était dans sa nature de se montrer calme et déterminé lorsque les événements prenaient une tournure franchement périlleuse.

Aucun doute, il était déjà destiné à la potence, son imagination aux ailes désormais inutiles, coupées. À présent il était face à face avec la réalité, comme lorsqu'il était à sa table d'opération et que brusquement il retrouvait en même temps la main ferme et l'esprit serein, chaque geste étudié.

Les policiers de Belluno ont passé deux jours à l'interroger, sans aucun résultat. Alors le commandant a songé à le confier aux Allemands.

— On a arrêté un chef partisan, probablement le commissaire politique de la brigade Mazzini, celle qui tient de nombreux secteurs de part et d'autre du Piave. Voulez-vous vous en charger vous-mêmes?

Les Allemands, pour leurs exactions, utilisaient les casernes du Ve Régiment d'artillerie; ils en avaient transformé un bâtiment en prison, réservée aux détenus politiques.

— On va s'en occuper.

Ils sont venus le chercher.

Sentant que ce Montagna devait en savoir long, ils ont confié le travail à un spécialiste de la torture, un type du Haut-Adige, le lieutenant Karl.

Celui-ci a souri lorsqu'il a reçu l'ordre. Il saurait, lui, le caresser de toutes les façons, en quelques heures il cracherait tout. De cette zone du Piave, rives droite et gauche, on connaîtrait chaque mètre, le nombre exact, les noms et prénoms précis.

Le lieutenant Karl s'est mis à l'œuvre. Il a exécuté toutes les gammes. Puissant musicien allemand, maîtrisant des compositions excellentes, mais Campi n'a pas chanté.

Après les coups, l'électricité, aux endroits les plus sensibles. L'intensité augmentant chaque fois, en particulier sur les parties génitales.

Entre deux décharges, Campi a lâché ses mots :

— Moi je défends ma patrie, utilise donc ce genre de procédé pour la tienne.

Après chaque traitement, il était jeté dans sa cellule, où il n'y avait pas de grabat, à même le sol, avec très peu de nourriture et d'eau.

On a tout su grâce à Conego, lui aussi détenu politique, chargé des corvées. Chaque jour, après l'interrogatoire, il pénétrait dans la cellule et écoutait Campi raconter les sévices subis.

Par la suite Conego, Igino Conego, a rapporté tous les propos et les attitudes de Campi, qui soulevait un peu la tête et, comme s'il se parlait à lui-même, comme s'il s'adressait à son ombre, à sa silhouette, dressée à ses pieds, invoquait :

— Ne parle pas, résiste, meurs mais ne trahis pas tes camarades.

Le détenu politique Conego entendait et voyait ; ces mots, ces images se gravaient en lui.

Le lieutenant Karl enrageait de ne pas parvenir à ses fins : amener Campi à avouer les noms et les lieux, le moindre secret des partisans. Il a conçu comme solution un ultime moyen.

Devant lui, il a mis à rougir sur le feu un fer pointu, une alène, une espèce de stylet ; une fois rougi, il l'a enfoncé dans le genou de Campi.

Il a tourné, vissé le fer jusqu'à pénétrer dans l'articulation.

Campi gémissait, désespéré de douleur, mais il ne parlait pas. Sauf pour dire :

— Tue-moi.

— Non, a répondu le lieutenant Karl. Non, parle.

Cette première fois avec le fer rouge s'est achevée. Le soir arrivant, Campi a été de nouveau jeté sur le sol de sa cellule.

Cette fois, Conego, Igino Conego, quand ç'a été l'heure du nettoyage et qu'on lui a ouvert la cellule de Campi, cette fois il n'a entendu aucun mot. Campi anhélait, la bouche embrassant le sol.

Les jours suivants, le lieutenant Karl a repris avec le fer dans le genou, et naturellement la gangrène est survenue.

Alors le lieutenant Karl a essayé un autre moyen : qu'il goûte de nouveau aux draps blancs, au matelas moelleux, aux repas chauds. Il l'a fait transporter à l'hôpital de Belluno, à l'hôpital civil.

Là, on a su qu'il était médecin, chirurgien de Trente, les sœurs l'ont veillé, c'est ainsi que, lorsque Sandrina, la mère de Campi, est venue les voir, elles ont pu lui raconter dans les détails comment il s'était comporté, pourquoi il leur était apparu comme un martyr chrétien. De fait, Campi murmurait de simples mots, il ne maudissait personne, il n'émettait même pas de gémissements de douleur. Ses yeux, qu'il avait noirs et beaux, de ses grands yeux, irradiaient de piété, si bien que les sœurs se sont échangé leurs impressions, chacune prête à relever l'autre dans l'assistance, profondément attentive au moindre geste, à la moindre expression de Campi.

Il est resté quatorze jours à l'hôpital, ainsi veillé, la gangrène menaçant de se propager, de gagner la jambe entière.

Quatorze jours, avant que le lieutenant Karl le rapatrie.

Campi jeté derechef sur le sol d'une cellule. Conego est revenu pour le nettoyage.

De nouveau, le lieutenant Karl a introduit et tourné le fer rouge dans la plaie, s'amusant à chatouiller l'articulation, en bas, en haut, sur la droite, sur la gauche.

Campi n'a pas parlé, n'a pas trahi, son âme de plus en plus pure.

Puis ç'a été l'ultime tentative.

Le lieutenant Karl l'a fait attacher sur une échelle en bois. Campi étendu de tout son long, son corps ficelé aux différents barreaux.

Campi ainsi sanglé à l'échelle, il a ordonné qu'on le plaçât au flanc externe d'un camion, de sorte que le véhicule, passant dans une rue, attirât l'attention sur ce type ligoté de tout son long à une échelle.

Le camion a quitté la caserne d'artillerie.

Lentement il a traversé les rues de Belluno, les rues du centre, se dirigeant vers le bois des Châtaigniers, une localité proche, ainsi appelée à cause des arbres qui s'y dressaient.

Ce camion, avec Campi attaché sur le côté, suivait en queue de toute une file de véhicules où se trouvaient sous bonne garde d'autres jeunes détenus politiques, eux aussi conduits au bois des Châtaigniers pour y être pendus ; chacun à son arbre.

Lorsque les véhicules sont arrivés, le lieutenant Karl était déjà sur place à les attendre.

Il a fait déposer l'échelle, avec Campi attaché, près de lui, et a donné l'ordre d'exécuter les autres partisans, au nombre de neuf. Campi a été le dixième.

Quand les neuf se sont balancés, le lieutenant Karl s'est approché, s'est penché vers le visage de Campi :

— Parle, et tu éviteras ça.

C'est un Allemand qui a raconté la suite, un soldat allemand capturé par les partisans, présent, témoin, debout près du lieutenant Karl, il a raconté que Campi souriait et disait non.

Le lieutenant Karl a donné l'ordre du doigt.

Ses hommes ont défait les liens, et ont dû le porter jusqu'au nœud coulant, car la gangrène l'empêchait de marcher. Ils l'ont mis debout, la corde a été passée au cou de Campi, on l'a hissé à l'arbre, et bientôt lui aussi comme les neuf autres se balançait doucement sous le ciel immobile et bleu au-dessus de tous et de tout.

Si les Allemands ont tourné le nez des camions vers Belluno avec une certaine hâte, il y avait une raison.

Le bois des Châtaigniers était une sorte de marche, une ligne de frontière fluctuante entre la zone partisane et le territoire sous total contrôle allemand.

Les derniers temps, ces deux derniers mois-là, les partisans étaient devenus plus forts. Les Allemands étaient encore fanatiques, mais avec toute cette guerre tempétueuse qui s'était abattue sur eux, ils avaient perdu leur arrogance, comme anéantis.

Ils avaient voulu donner une leçon aux partisans en pendant dix de leurs camarades juste sur cette ligne de frontière, mais, échaudés, ils craignaient les mauvaises surprises.

De fait, deux partisans de guet entre les branches de la colline d'en face ont compris ce qui se passait. L'un d'eux a couru avertir les autres, à quelques kilomètres de là.

C'était sans compter avec l'empressement des Allemands ; Campi, comme les autres, avait été exécuté en quelques secondes.

Les partisans ont accouru, en nombre et fortement armés. Ils se sont précipités aux arbres pour décrocher les corps de leurs camarades. Un instant ils ont espéré – ce que la fraternité peut suggérer –, ils ont espéré en trouver un encore vivant. Tous sont tombés par terre sans vie.

Entre-temps, des fermes proches, sont sortis des paysans, hommes et femmes, qui avaient assisté à l'arrivée des Allemands, avec ce camion au flanc duquel était ligoté un jeune homme. Ils avaient compris qu'une tragédie était en cours.

Les femmes, surtout, ont crié, embrassé ces fils possibles, essuyé ces bouches, fermé ces yeux.

Les partisans pendus venaient de la prison, dépenaillés, à moitié nus.

Les femmes ont couru chez elles, ouvert les armoires, les coffres, où étaient pliés les costumes noirs dans lesquels leurs hommes s'étaient mariés. Elles ont apporté tout ce qu'elles trouvaient, chacun en a eu un à sa taille.

Les dix jeunes gens ont bientôt été revêtus des plus beaux costumes que recelaient ces maisons paysannes. Tout le monde s'y est mis, on a fabriqué de branches et de draps dix civières, afin qu'ils y reposent durant la veillée funèbre, et le matin, tandis que le soleil dorait, ils ont été enterrés, chacun avec sa croix.

Premières esquisses sur le bal du Septième GAP

Turri et moi étions isolés, il me rapportait le récit de Sandrina, ce qui était arrivé à notre ami Campi, son histoire était colportée par les partisans de Belluno de passage à Bologne.

L'Italie du Nord avait été libérée des nazis et des fascistes depuis peu, le désir était grand de rendre compte des événements.

Entre-temps, durant cette excursion romaine qui m'avait arraché à l'enlisement lucquois et permis de renouer avec la félicité du monde, j'avais été forcé de constater, de plus en plus nettement au fil des heures, à quel point Turri – que nous appelions souvent de son nom de guerre, Iacopo – était regardé comme un chef, un chef militaire, plus encore, un monarque, qui décrète tranquillement la mort, qui éteint la respiration de ses ennemis.

Les partisans qui l'accompagnaient profitaient de courtes pauses, des moindres distractions de Turri, pour me chuchoter, par bribes, des épisodes concernant Iacopo, ses ordres, ses exemples, et en même temps son calme et, je le répète, sa capacité à prédire les événements : il augurait leur déroulement et, effectivement, tout se passait selon sa prédiction.

Turri avait gardé le même visage que lorsque nous étions étudiants à l'université, que lorsque nous étions médecins à l'hôpital psychiatrique d'Ancône, mais à présent apparaissait plus souvent cette immobilité du regard – l'expression de qui a côtoyé le danger et, même, des dangers de mort, sans avoir jamais tremblé, décidé au contraire à appeler lui-même la mort avant que l'adversaire ne la lui impose.

À présent il avait dans le regard, dans la lumière de son pâle visage, la conscience de son propre courage, une disposition impitoyable envers l'ennemi ; mais également, très douce dot, il avait conservé intacte l'humilité, la promptitude à s'incliner devant ceux qui avaient quelque mérite, heureux d'honorer, de rendre hommage.

Durant cette excursion à Rome, près de quatre jours, nous sommes restés constamment ensemble, son passé récent était riche d'aventures.

— Tu devrais choisir comme spécialité la médecine légale, m'a-t-il brusquement décoché droit dans les yeux.

J'ai compris que ce n'était pas improvisé ; il y avait réfléchi.

— Pour les concours, a-t-il poursuivi, cette base que tu as déjà, la spécialité en neuropsychiatrie, ne suffit pas, il en faut au moins deux.

— Tu crois ? ai-je bredouillé.

— Oui. Tu vas t'inscrire à Bologne. Là-bas, à l'Institut médico-légal, je suis encore assistant, je peux te filer un coup de main. La chaire est toujours occupée par Berardi, au fond c'est un brave homme.

— Tu as raison. J'irai m'inscrire.

— Tu habiteras chez moi. On mettra un lit dans le salon.

— D'accord, ai-je répondu à mon cher ami.

Cette invitation à choisir la spécialité en médecine légale sonnait comme un ordre.

Chez Turri

J'ai retrouvé la grisaille de Lucques. Ma « période clan-
destine », mon temps de partisan, était une histoire que je
sentais s'éloigner, j'aurais peut-être pu la revivre en la
racontant, ce n'était pas une passion en cours.

Là-haut, en Émilie, c'était encore bien agité.

Au bout d'un mois environ, nouvelle sollicitation de
Turri :

— Allez, viens ! Tu dois t'inscrire.

Parti le matin, rentré le soir, je suis allé m'inscrire au
cours de médecine légale, à Bologne.

L'examen approchait. Turri m'a conseillé et répété qu'il
était sage de me montrer, de fréquenter l'Institut médico-
légal, cela me servirait pour l'examen. Il me fallait rester au
moins un mois à Bologne, je serais son hôte, dans leur nouveau domicile, au 2 de la via Cà Selvatica. La famille Turri
s'y était installée juste après la Libération.

— Tu coucheras dans le petit salon, on ne l'utilise pas ; il
y a un canapé-lit.

À l'époque, il avait deux petits garçons, vifs et joyeux.

L'appartement qu'il occupait était au troisième étage. La
via Cà Selvatica n'avait pas d'arcades, une rue à ciel ouvert
comme en Toscane. On trouvait des arcades plus haut, au
bout, des rues perpendiculaires à la via Cà Selvatica.

Près de l'entrée de l'immeuble se trouvait un bistrot
dépouillé : un comptoir en bois, des tables vermoulues, des
fiasques et des verres ; rien d'autre. Pour clients, des ouvriers
tout blancs de plâtre, des livreurs du marché voisin.

Je suis arrivé chez mon ami. J'ai été accueilli avec une fête simple.

Je me suis installé dans le petit salon, qu'ils n'utilisaient effectivement pas; on mangeait dans la cuisine.

Irene, sa femme, n'était vraiment pas faite pour les travaux domestiques; la peau blanche, les mains délicates, diplômée en critique d'art, elle avait du mal à tenir une maison avec trois hommes. Et moi qui en devenais le quatrième.

Elle avouait que descendre le matin la poubelle lui était pénible, elle avait honte, elle espérait ne pas rencontrer de voisins, elle descendait en courant l'escalier, en courant elle remontait. Elle n'avait jamais connu cela, s'étant consacrée jusque-là à ses études.

Mais Turri était inflexible, à l'époque pleinement communiste, dévoué au Parti. Bientôt éclaterait la révolution, un bouleversement, le pays serait gouverné par une règle juste.

Je me suis aperçu qu'il portait toujours le même costume, et suis resté médusé en découvrant que ses chaussures dataient du cours des élèves officiers médecins, des godillots reçus en dotation.

— Je les ai retrouvés, je les ai fait ressemeler. Crois-moi, ils me vont bien, ils sont même superbes.

Assistant en médecine légale, son traitement devait être chiche, et si Turri n'était pas misérable, il était certainement au seuil du besoin; avant tout, les deux gamins ne devaient pas manquer du nécessaire.

Un matin, j'ai surpris ce dialogue entre mari et femme :

— Tu as ton veston neuf! en laine, pourquoi ne le mets-tu pas? Il commence à faire froid.

— Je l'étrennerai le 1er mai, le 1er mai! Notre fête, peu importe le froid, peu importe si c'est le printemps.

Sans être communiste, Irene suivait son mari, par fidélité, pour l'unité de la famille, avant tout parce qu'elle était dominée par le charisme de Turri. Elle avait une éducation distinguée, elle aurait apprécié de disposer d'un paillasson devant sa porte : la femme de chambre qui ouvre, le salon où l'on reçoit, des livres partout et plutôt précieux, et des fenêtres qui ne laissent passer aucune clameur.

Un soir, à table, étaient invités trois fidèles hommes de Turri. J'ai demandé à tout hasard :

— Comment avez-vous dégoté cet appartement ? Avec les bombardements, il en faut, des demandes de relogement !

— Il était à des fascistes. Le père, la mère et une fille.

Un des partisans souriait d'un air sarcastique et sinistre. Les deux autres en revanche restaient silencieux, tête basse.

— Et alors ?

— On les a tués, est intervenu Turri, comme s'il lisait la sentence.

— Et bien tués, a grommelé le même partisan, dans les yeux une noire moquerie. On les a conduits au cimetière. Comme ça, ils étaient déjà sur place. Du beau travail. La fille aussi avait été une ardente collabo.

Cela m'a échappé :

— Et l'appartement resté vide…

— C'est nous qui l'occupons. Les meubles, ce sont les leurs, a expliqué Turri.

« Alors je dors peut-être sur le canapé-lit de la fille… », ai-je soudain pensé, et je me suis surpris à toucher, le doigt glissant le long des pieds de la chaise, cette chaise assurément utilisée par les membres de la famille.

— Oui, directement au cimetière, a continué à s'épancher le partisan avec cet air-là (peut-être s'agissait-il de l'exécuteur). En chemin, pas un mot. Aucune protestation.

Turri demeurait placide, c'était dans l'ordre des choses, ç'aurait pu lui arriver à lui, aux siens.

C'est là, à ce moment-là, que j'ai vu le visage de la guerre civile, non point une guerre entre peuples, entre armées, mais entre habitants d'une même commune, parlant la même langue, le même dialecte, tous nés à l'abri de ces remparts et ayant grandi ensemble.

Dans les guerres civiles, on est amené à se représenter l'adversaire comme un puits de mal, de perversion, on chasse une possible image de bonté, de pardon à son sujet.

C'est une loi, et c'est pour cela que la torture en est une conséquence logique.

Mystère de la nature humaine : la guerre civile à peine terminée, on a tendance à oublier, à effacer certaines actions pourtant accomplies, à répudier ce genre de pensées et de faits qui ont cependant existé, de sorte qu'il est bien difficile ensuite de se référer à ces moments-là avec précision.

Voilà pourquoi je suis contraint à un bref récapitulatif.

25 juillet 1943. Ce jour-là, le fascisme, la Dictature, déjà ébranlée par les désastres militaires, s'effondra.

Le roi nomma à la place du Duce le général Badoglio, qui dirigea le pays pendant quarante-cinq jours. Le 8 septembre, Badoglio signa l'armistice avec les armées alliées et prit la fuite avec le roi, abandonnant l'Italie, chien galeux sans maître.

Le fascisme se reconstitua sous le nom de République sociale. Les fascistes devinrent les alliés et les valets des Allemands, maîtres absolus de ces terres italiennes non encore libérées par les Alliés.

Aussitôt après le 8 septembre 1943 la *Résistance* commença à s'organiser. Dans certains endroits, son vrai nom était *guerre civile*.

Les plus courageux des antifascistes se rassemblèrent.

Ils formèrent les premiers groupes de partisans, récupérant des armes, et gagnant les montagnes pour mieux se défendre.

Les troupes alliées qui remontaient lentement du Sud entreprirent de les aider en leur parachutant armes, vivres, argent et tout ce qui pouvait servir à ces formations.

Les Allemands et les fascistes redéployés dominaient et régnaient surtout dans les villes. Brusquement ils suscitèrent la première terreur : les jeunes gens devaient obligatoirement se présenter dans les casernes, pour y être enrôlés.

Qui ne se présentait pas était considéré comme réfractaire au service et risquait d'être arrêté et fusillé.

Certains prirent le maquis, d'autres se soumirent aux nazis-fascistes en se présentant dans les casernes ; à cette époque, l'éducation politique était encore bien faible.

Les groupes commencèrent à se consolider, embryons d'armées. De nombreux citadins collaboraient avec les nazis-fascistes, tout en rendant secrètement quelques services aux partisans en vue d'obtenir des mérites pour l'avènement de la Libération.

Ainsi passèrent plusieurs mois rudes de 1944.

Entre-temps, les Alliés avaient changé de cible. Il n'était plus question d'Italie, leur nouvel objectif était la France. La Normandie désormais occupée, ils projetaient de débarquer en Provence.

Ce changement s'expliquait par le fait que les Allemands avaient édifié en Italie la ligne Gothique, une solide ligne de défense qui s'étendait de l'Adriatique à la mer Tyrrhénienne, de Pesaro à Massa, coupant la Péninsule en deux. Une ligne solide grâce aux armes allemandes, mais aussi au terrain on ne peut plus favorable : montagnes, collines, rivières, ruisseaux, torrents, autant d'obstacles majeurs pour la progression d'une armée. En outre, tout au long des trois cent vingt kilomètres, les Allemands avaient creusé des tranchées et des fossés antichars, aménagé des fortins, disposé des champs de mines ; les canons et les nids de mitrailleuses se touchaient.

Attaquer une telle ligne aurait coûté énormément de moyens et de pertes aux Alliés. L'exemple de Montecassino était récent.

On arrivait à l'hiver 1944. Les partisans, tant en ville qu'en montagne, agissaient de leur mieux, gênaient de plus en plus les mouvements de l'ennemi, devenaient experts. Dans certaines régions, la population leur était très favorable, dans d'autres, plus rétive, voire hostile.

Turri appartenait lui aussi à une formation, dans les montagnes d'Émilie, déjà chef, son nom de guerre circulait.

Bientôt la déclaration d'Alexander tomba du ciel. Le 3 novembre 1944. Les formations partisanes l'entendirent, mais également, avec le sourire, les fascistes et les Allemands. Elle s'adressait aux partisans :

« Cessez les opérations de grande ampleur », commençait-elle ; puis elle sous-entendait que, pour le moment, on ne les aiderait pas. Qu'ils se tiennent cependant prêts, en attendant les ordres. Ce qui voulait dire en fait : débrouillez-vous tout seuls, par vos propres moyens, faites ce que vous pouvez.

Noir désarroi chez les partisans, grande désillusion : « Que faire ? Où aller ? Où se réfugier ? Quels nouveaux modes de lutte mener ? »

Turri et ses hommes n'avaient pas le choix, il fallait redescendre en ville, à Bologne, afin d'y combattre tant bien que mal. C'était certes risqué, la ville étant à moitié déserte et étroitement tenue par les nazis-fascistes. Mais ils n'avaient pas d'autre choix.

C'est ainsi que sont nés les GAP (Groupes d'action patriotique).

Première difficulté : le logement. Où coucher, trouver une maison ?

Turri en choisit une près de la gare, un secteur très dangereux car pris pour cible par des bombardements aériens, mais propice à son travail, les habitations alentour étant endommagées et désertées ; la police aurait du mal à penser qu'elles seraient encore habitées.

Il y conduisit sa femme et ses deux enfants.

Les autres partisans de sa formation en firent à peu près tous autant. Certains se réfugièrent dans leurs propres maisons, d'autres s'installèrent chez un parent, d'autres s'adaptèrent à un demi-réduit, d'autres enfin n'eurent pas le cran de continuer et, très discrètement, réapparurent dans leurs familles éparpillées dans les innombrables petits villages des environs et s'y tinrent tapis. Pour eux, c'était la peine minimale : réticence à la mobilisation, défaut de présentation à l'appel pour intégrer les rangs nazis-fascistes.

Turri réunit chez lui ceux qui étaient restés.

Que faire ? Quelles possibilités ? Quelle force ? Les armes dont ils disposaient se limitaient à des revolvers, des grenades, des armes à cacher sous le manteau, celles qu'on avait pu descendre de la montagne.

Le GAP était la seule solution. En Émilie, six formations déjà s'étaient constituées, la leur serait la septième, le Septième GAP.

L'action d'un GAP, au début, se déroulait de la façon suivante : le gappiste, souvent jeune, voire très jeune, accompagnant le chef GAP, choisissait le lieu, l'heure, la personne, le moment où il y aurait le moins de circulation dans la rue. Il préparait l'action avec le chef GAP.

À la brune, surgissait le milicien, avançant, s'apprêtant à dépasser le jeune gappiste qui s'efforçait d'avoir l'air de rien, une allure balourde.

Il y avait des fascistes de toutes sortes, le plus souvent courageux, chevronnés, forts de tout un passé de combats et restés fidèles, certains portaient la souillure indélébile de leurs méfaits, d'autres semblaient animés d'une témérité innée, d'autres encore suintaient la cruauté. On en comptait même d'honnêtes, de naïfs, d'innocents, mus par l'amour de la patrie.

Le gappiste, revolver dans la poche, avec lequel il devait s'être familiarisé, emboîtait le pas au fasciste qui l'avait dépassé, habituellement en uniforme, la tête de mort dessinée sur la poitrine.

Il s'avançait, levait le pistolet, la balle partait et pénétrait dans la nuque.

Aussitôt le gappiste prenait la fuite, se fondait dans la nuit.

Actions de GAP

Je vais raconter ce que j'ai entendu à l'époque, lorsque, près d'un mois durant, j'ai été l'hôte de Turri dans son appartement de la via Cà Selvatica. Tous les soirs, ses camarades de guerre venaient lui rendre visite, c'est-à-dire l'adorer.

Ainsi, dès le premier jour, Turri choisit ses hommes, enseigna, guida, ou agit lui-même. Tenez, je pense à Giulio.

Ce n'est pas une liste que je dresse, je ne suis soumis à aucune trame. Je laisse la plume courir sur le papier : que ma mémoire dispose à sa guise.

Les gappistes, au début, ne tuaient qu'une fois la nuit tombée, à la faveur de l'obscurité. Mais voilà : l'un d'eux, peut-être par fanfaronnade, affirma avoir abattu l'un des chemises noires, alors que le lendemain matin, il s'avéra qu'il ne l'avait que légèrement blessé, une simple égratignure.

Turri donna des ordres – il fut scrupuleusement obéi : chaque fois, l'exécution accomplie, le gappiste devait se pencher sur le corps, déboutonner son veston et s'emparer de ses papiers d'identité, uniquement ses papiers.

Cette exigence donnait du poids au mouvement mais fournissait aussi une documentation historique. Sa femme Irene se chargea de tout conserver, de tout archiver.

Très vite, les fascistes comprirent l'intention de leurs ennemis; la haine et le mépris les enflammèrent. Dans *Il Resto del Carlino*, le journal local qu'ils contrôlaient, ils écrivirent :

« Voilà bien la lâcheté des communistes, ils nous agres-
sent à la faveur de l'obscurité, la nuit, ils ont peur de nous
affronter de face, ces vendus de mercenaires, ils fuient le
grand jour, voyez quelle idéologie vulgaire et répugnante
les anime. »

Ce même matin, Turri lut lui aussi le journal; aussitôt il
réunit ses hommes.

Et déclara dans le silence :

— Ils ont raison. On va les affronter, les tuer en plein
jour.

Il avait déjà choisi la rue, ce serait via Mentana, tout près
d'une de leurs casernes, une rue que Turri et moi avions
parcourue tant de fois ensemble : elle nous ramenait du
centre, de la via Rizzoli, à nos chambres de la via Masca-
rella, à l'époque où nous étions étudiants.

— On part tout de suite en repérage. Allez, on sort, on va
sur les lieux. J'ai choisi les gars : toi, Giulio, et toi,
Normando. Vous autres, tous les quatre, ce sera pour la
prochaine action, demain sans doute, en attendant
aujourd'hui vous resterez spectateurs. Allons-y. Je dois vous
avertir (il s'adressait aux deux hommes désignés, Giulio et
Normando), il y a un détail, non négligeable, auquel il va
falloir faire attention : l'action aura lieu aujourd'hui, via
Mentana. Dans cette même rue, il y a quelques mois, il y a
eu un bombardement aérien, et des maisons se sont écrou-
lées. Les décombres ont été déblayés. À un endroit, il y a un
trou, un vide, mais ce n'est pas le début d'une rue, c'est un
vide qui se termine en cul-de-sac, ce n'est pas une rue.

» Que l'un de vous deux, après avoir tiré, s'engage dans
cette impasse, et le voilà fait comme un rat, impossible d'en
réchapper, fichu. Il y aura des fascistes via Mentana, leur
caserne est toute proche. Ils réagiront, ils répondront à
l'agression, il se pourrait même qu'ils interviennent en
nombre, alors si l'un de vous deux se fourre là-dedans, adieu
Berthe!

» J'ai choisi cette rue, avec la caserne toute proche, pour
le défi. Ah, on est des lâches? Eh bien, on vient vous trouver
de jour, et devant chez vous.

» Bon, voilà le plan : on arrive sur les lieux, via Mentana, il y a presque toujours des soldats, on tire, et on prend ses jambes à son cou. Cette fois, les papiers, les cartes d'identité, on les laisse. Tout le monde disparaît. Si tout se passe bien, à l'avenir les fascistes se montreront plus prudents, vous les verrez moins plastronner en uniforme dans les rues de Bologne.

Et c'est ce qu'ils ont fait. À quatre heures de l'après-midi, ils sortaient de chez Turri.

Avant de sortir, Iacopo leur avait déjà répété la leçon :

— On est bien d'accord? On arrive via Mentana, et on se balade, tranquillement, en dilettantes. Chacun de vous choisit son soldat. Vous êtes peu éloignés l'un de l'autre. Ce serait bien, idéal même, si vous pouviez tirer tous les deux en même temps, ou presque, pour pouvoir quitter la via Mentana avant que les fascistes aient commencé à réagir. Ils vont bloquer les rues, mais vous serez déjà loin. Moi aussi, quand vous tirerez, je serai en train de flâner via Mentana.

» Alors on y va! Et ce soir, tout le monde chez moi, rendez-vous à sept heures, avant le couvre-feu pour faire le bilan de l'action.

C'était une journée à la lumière habituelle, ce ciel d'Émilie souvent paisible.

Giulio était considéré comme un bon gappiste, reconnu par ses camarades. On l'admirait pour son courage simple, lorsqu'il opérait il se sentait en mission, son sourire lui mangeait tout le visage. Grand, élancé, il paraissait toujours élégant, malgré son veston froissé. Il était élève ingénieur en deuxième année, son père était contremaître à Imola.

C'est lui qui est mort, Giulio, le seul qui a tiré via Mentana.

Le fasciste s'est écroulé, terrassé. Aussitôt les cris et la fuite. Des soldats qui se trouvaient dans la rue ont crié, se sont rassemblés. Giulio, d'habitude si lucide, si calme, eh bien, Giulio a couru vers la souricière des maisons éventrées, ce n'était pas une rue qui permettrait de fuir, de se dégager, il s'est engouffré précisément dans ce cul-de-sac, alors que Turri, Iacopo, avait bien prévenu : « Surtout pas par là, vous n'auriez pas le temps de faire demi-tour. Quelqu'un peut vous avoir vu tirer et vous désigner. »

Giulio, après quelques pas, s'est aperçu de son erreur, il a fourré le revolver dans sa poche, a pris un air innocent et s'apprêtait à sortir de là, pour rejoindre la via Mentana.

Turri, qui s'était arrêté en haut de la rue, ne voyant pas Giulio s'enfuir en courant pour se fondre dans d'autres rues, a continué en direction de l'endroit d'où provenait le coup de feu.

L'autre gappiste s'était déjà éloigné, ce mort rendait trop risqué de tirer encore dans la via Mentana, relativement courte.

Turri a aperçu Giulio en train de revenir de l'impasse où il s'était engagé. Mais on l'avait déjà repéré. Un soldat, à d'autres qui accouraient, a crié :

— C'est lui ! C'est lui qui a tiré.

Se sont pointés, blêmes et haletants, deux fascistes en civil. Ils ont échangé quelques syllabes avec l'autre en uniforme, ont empoigné leur revolver et ont tiré sur Giulio, qui a réussi à esquiver.

Dans cette souricière, il y avait un abri, un pan de mur encore debout. De là, Giulio a répondu au feu. Il se baissait, se relevait, répliquait.

Turri assistait à la scène à quelques mètres de distance.

Giulio savait qu'il allait être abattu. Il a aperçu Turri.

Turri est resté devant lui ; Giulio le regardait, lui a souri. Pour un dernier salut.

Entre-temps était arrivé un soldat armé d'un fusil-mitrailleur. Giulio n'a eu aucune chance ; l'autre a continué à le cribler de balles même une fois à terre.

La via Mentana et les rues voisines avaient été bloquées. Les soldats arrêtaient, interrogeaient, fouillaient les gens. Turri était désarmé, il avait décidé de ne pas agir, seulement d'assister à l'opération, d'évaluer comment il fallait la mener.

— Je suis médecin, a-t-il répondu au soldat hargneux. Je rejoignais mon hôpital. Je suis invalide de guerre.

Il a exhibé sa carte toute prête dans sa poche.

Des coups de feu ont retenti par là, du côté de la via Rizzoli. L'autre gappiste?

Les soldats sont devenus nerveux :

— Allez, circulez, dégagez de là.

Turri s'est glissé dans une ruelle sur la droite, qui menait via Rizzoli; il connaissait le quartier comme sa poche. Il a essayé de gagner l'endroit d'où provenaient les derniers coups de feu, peut-être l'intervention de l'autre gappiste.

Le soir même, à sept heures, comme convenu, ils se réunirent chez lui, près de la gare.

Les coups de feu entendus après la mort de Giulio étaient bien ceux de l'autre gappiste; il avait blessé un soldat avant de réussir à disparaître.

Tous reconnurent qu'il n'était pas facile de tirer de sang-froid, en plein jour, au milieu des badauds. Il fallait en prendre l'habitude.

Ils décidèrent que celui qui irait avertir les parents de Giulio, à Imola, serait un de ses anciens camarades d'école, un vieil ami.

À un moment donné, quelqu'un émit l'idée de se rendre à plusieurs sur le lieu de l'action, afin de combattre au lieu de fuir.

Mauvaise idée : on serait très vite dominés.

Pour le moment : action rapide, et disparition.

Je sais bien que certains vont qualifier Turri de criminel. Mais c'était l'époque qui imposait ces choix aux vrais patriotes. Ces hommes qui tuaient, se vengeaient, étaient des hommes pieux.

Je devrais expliquer progressivement, ressusciter les raisons, ménager des effets de façon que le lecteur voie tout se justifier.

Mais je n'écris pas un roman, j'écris ce qui presse en moi, une anticipation avant ce qui est dû.

Tel un croyant dans le confessionnal, je m'approche de la grille et parle, grands et petits péchés, à la hâte, en vrac.

Le petit livre de comptes

Ce soir-là fut particulier, à cause de ces deux-là.
Je ne les avais jamais vus auparavant.
Ils se présentèrent après dîner. Sans aucun embarras, cer-
tainement des intimes de Turri et de sa femme. Manifeste-
ment, ils avaient participé à toutes les actions du Septième
GAP, ils en connaissaient les moindres détails.
Ils avaient dans la quarantaine.
Turri, comme d'habitude, les écouta; attentif, sans jamais
les interrompre.
Après quelques clins d'œil, de rapides allusions à tel ou
tel épisode, un des deux hommes dit d'un coup :
— Avant-hier soir, on a eu une discussion tous les deux.
Il désigna son camarade assis à côté de lui, avant de
poursuivre :
— Lui, il est convaincu que le nombre de morts à notre
actif s'élève à 2 000. Moi, je suis plus raisonnable, plus
précis. On n'atteint pas ce chiffre. On en a buté 1 989 ou
1 990, pas plus. Finalement, on s'est mis d'accord : « Allons
voir Iacopo. Lui, il nous dira qui de nous deux a raison. » Et
c'est aussi pour ça qu'on est là ce soir.
Je voyais bien que Turri ne se réjouissait aucunement de
cette conversation. Leur idéal n'avait certainement pas
consisté à atteindre un score, les passions qui les avaient
motivés ne pouvaient faire l'objet d'une comptabilité. Toutefois, en chef avisé, tel qu'il continuait à l'être tacitement, il
patienta avec bienveillance. Puis :

— Il faudrait qu'on constitue des archives, qu'on rassemble le maximum d'informations possible... notre devoir... préparer la matière pour un futur historien. Notre devoir...

Je voyais son visage s'assombrir, devenir impérieux. Cette histoire de chiffres froids ne lui convenait pas. Il ajouta alors, comme murmurant pour lui-même :

— Conserver le souvenir de nos morts. Oui, ils doivent vivre à jamais dans nos cœurs.

Après ce commentaire de Turri, la question de savoir s'ils s'élevaient à 1 990 ou à 2 000 retomba et s'éteignit.

De nouveau resurgirent des détails d'actions, parfois désespérées, enflammées de haine, parfois illuminées de gloire.

J'en ai gardé une certaine impression, une stupeur face à cette tranquillité barbare, cette question de chiffres, le nombre exact des tués. Une maîtresse de maison qui rentre des commissions et qui note sur son petit livre de comptes les recettes et les dépenses.

On a rêvé, on a combattu, on a vaincu.

La hachette, une petite serpe effilée

Tout le monde n'était pas Campi, capable de ne pas parler sous la torture.

Certains, dominés par la peur, par la terreur, commençaient à avouer et puis continuaient, dans les moindres détails, minutieusement, livrant les noms, les adresses, conseillant même les fascistes ou les Allemands durant l'interrogatoire, suggérant des ruses pour que le piège destiné à tel partisan fonctionne à la perfection.

Il arrive qu'un homme, s'engageant sur la pente de la trahison, toujours plus glissante, se vautre dans la souillure avec une espèce de volupté.

La petite serpe effilée, la hachette, sortit de chez Turri un soir tard, une heure après le couvre-feu, et pour une raison précise.

À la suite des révélations de trois personnes – une mère, son fils et sa fille –, plusieurs membres de la Résistance, des partisans, des gappistes étaient en prison, torturés depuis des jours.

S'était ajoutée cette information particulière concernant Ennio.

On lui avait cerclé la tête de fer, le crâne pris dans cette morsure. Le dispositif comportait une vis. Ennio étendu sur un petit lit.

Chaque jour, en ricanant, les nazis-fascistes donnaient un ou deux tours de vis pour faire éclater le crâne.

La nouvelle était parvenue à Iacopo, à Turri, aux hommes du Septième GAP. Ennio, un des leurs, parmi les plus valeureux, avait été arrêté parce que ces trois-là, ces camarades traîtres, avaient révélé sa planque.

Ils habitaient non loin de chez Turri, eux aussi près de la gare, cinq cents mètres à peine.

Les gappistes se réunirent et les condamnèrent à mort : la mère, le fils et la fille.

Les trois délateurs, libérés après leurs révélations, ne sortaient plus de chez eux; ils redoutaient la punition. Ils savaient très bien que la Résistance comptait des informateurs dans les prisons, jusque dans les casernes des Allemands, lesquels avaient évidemment besoin d'interprètes, de personnes pour les basses besognes.

Les trois délateurs soupçonnaient à juste titre que, au Septième GAP, on avait connaissance de leur trahison.

L'exécution de la sentence posait cependant problème. Leur domicile était tout proche d'une caserne, impossible dès lors d'utiliser le revolver. Les Allemands, toujours aux aguets, auraient entendu les coups de feu et seraient intervenus.

D'où l'idée de la hachette, de la serpette effilée, avec son petit manche, silencieuse, qu'on pouvait cacher sous les plis d'un manteau ordinaire.

Sans bruit, les rues désertes, malgré le couvre-feu, Bausi réussit à rejoindre la maison des trois traîtres. C'était au deuxième étage.

Il toqua, provoquant un silence tendu.

— C'est moi, Bausi, dit-il à voix basse. Je me retrouve enfermé dehors. Je ne sais pas où aller. Ouvrez-moi.

Dans la pièce monta un chuchotement.

Comment ne pas ouvrir? Ce serait un aveu manifeste, qui s'ajouterait à leurs méfaits.

La mère se montra la plus résolue :

— Que peut-il savoir, Bausi? Il ne compte pas, ce n'est pas un chef! Il a dû rentrer trop tard à cause d'une cuite de plus, il est toujours soûl.

Elle s'approcha de la porte.

— Qui c'est?

— C'est moi, Bausi. Tu ne reconnais pas ma voix?

— Ah! Ce brave Bausi. Entre, entre.

Elle tourna deux fois le verrou, ouvrit.

— Tu ne m'avais pas reconnu… J'ai dû porter une lettre, je ne sais quel ordre. Je me suis laissé surprendre par le couvre-feu. J'habite à l'autre bout de Bologne, via di Valle Scura, il m'aurait fallu encore une heure.

Les trois autres parurent rassérénés, lui sourirent.

— Entre donc. Tu as mangé?

— Oui, un peu, je ne veux pas vous déranger.

— Allons donc! Dis-moi ce qui te fait envie, je vais te le préparer.

La femme se tournait vers ses fourneaux.

C'est cette position qui la désigna pour être la première à mourir. Elle, à cet instant, de dos.

Ses deux enfants sur le côté, adossés au mur, les mains vides.

Bausi, son manteau déjà déboutonné, plongea la main, saisit la hachette par le manche, la petite serpe, et, en un éclair, la leva et l'abattit sur la nuque, l'arrière de la tête. La femme, sans un cri, s'affala; elle gisait par terre.

Bausi ne lui jeta pas un regard. Il s'approcha des deux autres, les deux jeunes qui semblaient ne pas avoir encore compris ce qui allait leur arriver.

Bausi frappa la fille au front, et aussitôt après son frère aux mains et au visage. Le frère d'abord aux mains, car il les avait levées pour se défendre ou pour attaquer.

Pour la mère, Bausi était sûr : on lui voyait le crâne fendu sous les cheveux. Mais pas pour les deux enfants; ils étaient moribonds, incapables de se défendre, mais ils respiraient encore.

Alors plus posément, il a usé de la hachette, sur les deux têtes.

Puis Bausi s'est examiné, vérifiant qu'il n'était pas ensanglanté, qu'il n'avait pas reçu d'éclaboussures, sur le manteau, les chaussures, quelque part.

Non, apparemment. Alors il est retourné chez Turri où on l'attendait.

Bausi s'était proposé de lui-même pour l'exécution.

Turri avait accepté, car il connaissait sa pauvreté d'imagination et savait combien sa conscience était obtuse à enregistrer quelque forme que ce soit d'inhumanité.

Des éclaboussures de sang, en revanche, il en avait. Elles provenaient de la mère, de laquelle il s'était le plus approché ; elle s'était affalée près de lui, à ses pieds.

Ce fut Irene, l'aimable, la diaphane épouse de Turri qui, tandis que Bausi racontait, l'interrompit pour l'avertir, de sa voix monotone :

— Bausi, votre pantalon est taché, et une de vos chaussures aussi.

Bausi se pencha, mit ses jambes sous la lampe. Elle avait raison.

La délicate Irene, devant de telles horreurs, se montrait étonnamment sereine comme si les cruautés n'osaient pas l'aborder et encore moins l'effleurer. Elle dit seulement :

— Je vais y donner un petit coup de brosse ; puis vous irez vous nettoyer dans la salle de bains. Aujourd'hui, on a de l'eau. Heureusement, on est restés trois jours les robinets à sec.

Promenade sous les arcades du Pavaglione

Les évocations du passé s'imposaient tous les soirs entre nous.

On dînait à la cuisine, une fois les enfants couchés. Alors il en arrivait un du Septième, puis un autre, un autre encore, ils venaient voir leur chef, comme aimantés par quelque force, de temps en temps l'un d'eux appelait encore par mégarde Turri de son nom de guerre : Iacopo.

J'ai été l'hôte de Turri près d'un mois, pendant ce temps j'ai écouté le récit d'innombrables actions de GAP. Jusqu'à cette histoire de chiffres, ce soir-là, sur le tard, le nombre de tués, même si le sujet ne faisait pas l'unanimité. L'un pariait sur 1 989, l'autre affirmait qu'il n'en manquait qu'un ou deux pour atteindre les 2 000. Ils se taisaient toujours sur ceux qui étaient tombés dans leurs rangs, leurs morts, pourtant, étaient légion. Les noms des camarades tombés, tués, étaient rarement prononcés, comme s'ils étaient présents, ici même, inutile alors de dire leurs noms, ou comme si la douleur était trop vive, trop difficile à supporter.

Le plus souvent, je me contentais d'écouter. J'aurais pu raconter certains épisodes de la Versilia. Je m'abstenais. C'était trop différent. Et puis Viareggio avait été vidée de ses habitants, forcés de quitter la ville. Ils s'étaient répandus dans les maisons et les cabanons des collines et des montagnes de l'arrière-pays, dans les Alpes Apuanes. Des conditions défavorables au déclenchement d'une guerre civile.

Turri ne prenait pratiquement jamais l'initiative, il laissait ses camarades évoquer les faits. Parfois, brièvement, il apportait une précision, puis il écoutait dans un complet silence.

Irene, sa femme, à l'époque si souvent témoin ou informée aussitôt après, se taisait elle aussi, comme s'il s'agissait d'épisodes qu'elle avait seulement vus de ses yeux, mais qui n'avaient pas atteint son âme. De temps en temps, de sa voix d'enfant, elle interrompait : « Je vous fais un petit café ? » Et elle retrouvait ses fourneaux.

Durant la journée, Turri et moi fréquentions l'Institut, nous ne parlions presque jamais des actions partisanes, nous traitions de questions médico-légales, et de mon examen imminent.

Mais le soir, inévitablement, après dîner, entrait dans la cuisine – leur salon me servant de chambre – un des vieux affiliés, pour moi souvent nouveaux, à peu près de mon âge ou plus âgés. Parfois, ils apportaient une fiasque de vin et, en la tendant, ils en garantissaient l'authenticité : « Rien que du raisin ! » L'un d'eux offrait timidement un jarret de porc ou d'autres victuailles, en ce temps-là de véritables gourmandises.

Ils s'asseyaient et tentaient de cacher leur embarras, parlant peu au début. Mais bientôt, un nom, une localité, telle rue de Bologne, telle ruelle, et le souvenir s'enclenchait, cependant toujours concis, fragmentaire, avec l'idée tacite que tous ceux qui écoutaient savaient déjà.

Je me demandais pourquoi ils se présentaient ainsi chaque soir immanquablement, et je posai la question à Turri. Nous avions diverses réponses, mais nous restions souvent incertains nous-mêmes, perplexes, sceptiques.

Venaient-ils pour se rappeler, se répéter qu'ils avaient participé à quelque chose d'important, d'extraordinaire ?

Voulaient-ils éclaircir en eux les raisons qui les avaient amenés à accomplir certains actes ?

Ce n'était pas en tout cas pour se glorifier qu'ils venaient rendre visite à Turri, car je n'ai jamais entendu de vantardises.

Éprouvaient-ils des difficultés à se réhabituer, à obéir de nouveau aux mornes habitudes ? Se sentaient-ils quelque peu déstabilisés, et voyaient-ils en Turri une colonne où s'appuyer ? Retrouver une respiration apaisée ? Chasser une peur qui remontait parfois ?

Avec le temps, l'écoulement régulier des jours, la figure de l'ennemi s'effaçait, on ne parvenait plus à concevoir de la haine. Dans ces conditions, comment imaginer possible tel ou tel acte ? Je veux dire, tuer un être humain ?

Venaient-ils voir Turri, leur chef, parce que, sans se l'avouer, ils désiraient, espéraient revivre des temps semblables, de nouveau sous ses ordres, de nouveau obéir, avec bonheur ?

Tandis qu'ils parlaient, Turri était toujours pleinement attentif, ne perdant rien de ce qu'ils disaient, aucun mot exprimé, ni leurs mouvements intérieurs, il entendait jusqu'aux paroles qu'ils n'osaient pas prononcer.

Ou bien venaient-ils le voir pour l'ivresse du souvenir, pour revivre une époque héroïque ?

Ces soirs-là où à la fois je voyais et écoutais, il m'a semblé vraiment distinguer par fragments le visage, les traits de la guerre civile. Ce mot de *Résistance*, pourquoi était-il né ? Était-il bien juste ?

Un jour, un après-midi, comme nous rentrions lentement, Turri et moi, via Cà Selvatica, chez lui, j'eus envie d'en savoir davantage.

— D'accord, tes gappistes grouillent tous les soirs autour de toi, mais j'aimerais bien savoir comment la ville te voit, ce qu'elle pense de toi, quelles réactions suscite ton visage, si elle t'aime, si elle te hait, si elle t'estime peu ou prou. Je crois connaître le moyen de le vérifier.

— Lequel ? demanda-t-il.

— Les arcades du Pavaglione ! L'heure de la fameuse promenade ne va pas tarder.

— En effet, dans une demi-heure environ, en cette saison à la brune.

— Tous les deux, poursuivis-je, on va traverser la piazzetta Galvani en la prenant du début, depuis l'angle du café Zanarini. Tu y vas, tu procèdes le long des arcades, en direction de la via Rizzoli, tu parcours la totalité, tu passes la librairie Zanichelli, puis la parfumerie, tu continues, jusqu'au kiosque à journaux qui regarde le Palazzo di Re Enzo, bref, jusqu'au bout. Tu marches devant, moi je te colle aux talons, un pas, un pas et demi derrière toi. Ici, personne ne me connaît, je suis un anonyme, je n'éveille aucune attention. Je verrai et observerai ce qui se produira, si on te laissera le passage, les expressions qu'on prendra, si on te reconnaîtra d'emblée ou pas. Je mesurerai cela du mieux possible. Toi, tu ne tiendras pas compte de moi, de celui qui te suivra d'aussi près. Au bout des arcades du Pavaglione, où on s'est si souvent extasiés devant les filles, on se remettra côte à côte, et je te dirai ce que j'aurai pu enregistrer.

— D'accord, consentit Turri, amusé, sans aucune vanité, comme s'il se prêtait à quelque expérimentation de physiologie dans son Institut médico-légal.

— Alors, ce soir même.

— On a le temps. Ça va être l'heure, on y sera dans quelques minutes.

On se rendit sur place et l'expérience commença. Lui devant, moi derrière, presque à côté, à un mètre à peine. Dans l'ombre.

Turri avançait au centre des arcades, fendant la douce marée des passants.

On lui ouvrait le passage, on s'écartait, on lui faisait place. D'emblée, presque tous, les uns et les autres le désignaient.

— *Iacopo !* C'est *Iacopo*. Turri, il s'appelle Turri.

Les uns exprimaient leur admiration par l'illumination de leur visage, les autres leur perplexité, d'autres par crainte plissaient le front, d'autres encore trahissaient un soupçon de jalousie, d'autres de la haine, deux ou trois fois j'en distinguai la lueur.

Je le répète, dès qu'ils le virent, presque tous lui ouvrirent le passage, lui ménageant un chemin qui tenait du parcours royal, ou dans ce genre-là.

Et ainsi jusqu'au kiosque, au bout des arcades. Sans aucune interruption à ce tableau.

À cette heure-là, les arcades du Pavaglione étaient bondées, y pétillaient cette amabilité, cette sympathie envers la vie, caractéristiques des Bolonais.

Arrivés au bout, nous tournâmes à droite et nous remîmes côte à côte.

Aussitôt je rapportai à Turri ce que j'avais remarqué. J'ignore pourquoi cela m'a échappé, mais les mots se sont formulés et sont sortis avant même que je les pense :

— Tous ces morts voient et parlent encore.

Il n'a pas commenté. Il ne s'était nullement troublé, en aucune façon, un bref examen, l'observation d'un phénomène physiologique comme il en avait connu tant d'autres dans son Institut médico-légal.

Le petit examen de spécialité

À l'époque, Turri était un communiste tranquille; sa parcimonie s'accordait avec la ligne idéologique du Parti. Il vivait comme un simple ouvrier. Je ne l'ai jamais entendu se plaindre; son seul souci matériel était que ses gamins aient de quoi manger, qu'ils puissent grandir normalement. Pour le reste, on ne lui connaissait aucun autre désir, aucune jalousie envers les possédants.

Le soir, immanquablement, venaient le trouver et faire cercle autour de lui ceux qui avaient combattu à ses côtés, sous ses ordres, partisans dans les montagnes ou gappistes en ville. Comme s'ils ne pouvaient vivre sans le voir, l'entendre, le couver des yeux.

Chaque soir, j'en découvrais de nouveaux, tous guettant respectueusement sa sentence, voulant apprendre de lui ce qui se passerait demain, dans un avenir proche; ils posaient les questions les plus intimes, les plus insensées, des questions qui mûrissaient chez ces hommes qui avaient tant de mal à reprendre les habitudes les plus surannées.

Turri, chaque fois, réfléchissait quelques secondes, comme s'il se concentrait, dans un dialogue de l'âme avec elle-même, et répondait alors avec des mots simples, un ton paisible, et cependant ferme, assuré. À cette époque, je ne sais pas s'il était heureux, pour le moins il avait le doux sentiment que tout procédait selon des raisons. Il avait suivi sa conscience, il avait donné l'obole qui lui avait réussi.

Il était seulement assistant en médecine légale, personne ne songeait à le promouvoir, en quelque sorte à le récompenser. Lui ne réclamait absolument rien. Le titulaire de la chaire, un certain Pr Berardi, était l'emblème de la médiocrité, de la grisaille, totalement dépourvu d'imagination, d'une quelconque ferveur. Tout ce qui s'était passé, la fin de la Dictature, la guerre, le maquis, était pour lui lettre morte, il avait supporté sans réaction, cela n'avait pas suscité en lui le moindre frémissement, aucune idée, aucun sentiment.

Il ne se plaignait pas, ne protestait pas, n'invectivait personne. Il continuait à produire des travaux scientifiques dans le but de se présenter, de concourir le moment venu pour une chaire de médecine légale. Ainsi va le monde, entre les hommes s'ouvrent des abîmes impossibles à combler, les lois de l'univers l'interdisent.

L'examen arriva, mon examen; je m'étais bien préparé.

Turri était membre de la commission qui allait juger. Il me dit :

— Je ne sais pas quelles questions je vais te poser, mais j'aimerais que tu répondes avec les citations rares, difficiles, dont tu as le secret et qu'ils ne connaissent pas; ils n'auront pas la modestie de te réclamer des informations. On va s'amuser.

Puis il me rapporta ce qui s'était passé pendant et surtout après l'examen. Ces messieurs s'étaient irrités de certaines de mes transitions rapides, de mes brusques fantaisies verbales. D'abord fort étonnés, ils s'étaient bientôt agacés que je ne me comporte pas comme l'habituel candidat penaud, soumis, prompt à acquiescer comme un laquais. Un de ces professeurs en particulier, que Turri connaissait bien, ruminait sa bile, réprimant mal une envie de me retirer la parole.

Turri ajouta :

— Qui sait? Peut-être étaient-ils sur le point de te recaler, s'il n'y avait pas eu l'intervention du titulaire de psychiatrie.

C'est lui qui me sauva. Il était arrivé en retard; il faisait lui aussi partie de la commission. Il s'était assis et, à la faveur d'une pause, s'était senti en devoir d'interroger à son tour.

Les mois précédents, j'avais publié une étude sur les hallucinations; le hasard voulut que le professeur de psychiatrie m'interroge justement sur ce sujet. Je disposais d'informations fraîches grâce à ce travail récent et je commençai à débiter.

Le professeur de psychiatrie, contrairement aux autres, y prit du plaisir, insista dans ses questions, finit par sourire et dit :

— Je suis ravi de vous avoir entendu, enfin un bel exposé de psychiatrie.

L'examen achevé, je me levai, saluai et sortis.

Le professeur de psychiatrie avait parlé le premier et proposé les félicitations :

— Pour ma part, trente et les félicitations.

Turri me raconta par la suite qu'il s'était bien diverti à mon oral. Il avait cependant nourri quelques craintes à cause de mes petits éclats intempestifs, qui n'avaient rien d'irrespectueux : je ne voulais pas manquer de révérence envers ces graves Solon ; seulement, chacun a son caractère et, de voir parmi mes examinateurs mon fraternel ami, cela m'avait mis en fête, la gaie surprise de la vie.

La visite à Sandrina

Une fois obtenue ma spécialité en médecine légale – ce qui, comme Turri l'avait prévu, m'aida par la suite à remporter le concours de médecin chef à l'hôpital psychiatrique de Lucques –, je suis retourné à mon poste, de nouveau blotti dans ce réduit qu'on m'avait concédé à l'hôpital de Maggiano, doté d'un lit, d'un bureau, et juste la place pour une pauvre étagère bourrée de livres, une pièce austère mais suffisante pour moi qui n'avais qu'à ruminer, éprouver, filtrer, décanter ce que je portais depuis ma naissance, étant né écrivain ; le temps dira si c'était peu ou beaucoup.

Ainsi passais-je mes journées, dans les services au milieu des fous, ou dans ma petite chambre. Très souvent, presque toujours dans les bras de la solitude.

Turri venait de temps en temps me voir, pour me parler aussi de Campi. J'étais le seul avec qui il pouvait se le remémorer suffisamment, ressusciter ses lubies, son originalité, son imagination qui s'enflammait comme les meules de paille dans les campagnes.

Nous l'évoquions en plaisantant comme s'il était encore vivant, comme s'il venait de quitter la pièce et qu'il s'apprêtait à revenir.

Nous avions décidé d'imprimer une brochure, une plaquette à sa mémoire ; nous l'avons réalisée par la suite, nourrie de textes, des témoignages que nous avons pu recueillir, de sa photographie de beau jeune homme, de lui se balançant à la branche où on l'avait pendu, puis étendu sur une espèce de civière auprès des neuf autres, tous habillés de noir, les habits de mariés des paysans qui vivaient dans les maisons voisines.

Turri m'a même dit :

— On devrait aller voir Sandrina, sa mère, à Ravenne.

— Oui.

— Viens à Bologne, et on ira ensemble.

— Un dimanche.

— D'accord.

On est partis pour Ravenne. Le ciel était sans nuage. Tout, dans le monde, suivait son cours.

Je n'avais jamais rencontré Sandrina, la mère de Campi ; Turri m'en avait souvent parlé, mais jamais son fils, jamais Mario, Campi.

Tandis qu'on traversait en auto la campagne romagnole, spontanément, resurgissaient, plus pures que par le passé, des images de Campi, ses propos, des manifestations de sa personnalité.

Nous nous sommes rappelé les fois où, à l'école des aspirants médecins, nous l'avons surpris dans une posture inattendue.

À certaines heures, nous étions libres de déambuler dans les cours, les bosquets et les jardins qui entouraient la caserne. C'est moi le premier qui l'ai découvert dans un coin peu fréquenté, le ventre dénudé, et le soleil qui cognait là-dessus. J'ai compris à son grognement qu'il ne voulait pas donner d'explications, concentré là dans un de ses desseins secrets.

J'ai hésité, avant de lui demander affectueusement ce qu'il avait ; vaincu, il a fini par m'avouer d'une voix cassée :

— Je suis faible des entrailles, je dois me renforcer aux rayons du soleil, pour le jour de l'épreuve.

J'ai approuvé de la tête et je l'ai aussitôt laissé à ses expositions solaires.

Dès que j'ai vu Turri, je lui ai raconté la scène : nous avons ri, de bon cœur, de cette explication déconcertante. Turri, les jours suivants, l'a trouvé à son tour le ventre nu exposé aux rayons du soleil. Avec lui, Campi s'est épanché davantage. Il lui a dit, le plus sérieusement du monde, qu'il était de son devoir de se fortifier, de devenir le plus robuste possible, avant d'ajouter :

— Ils vont m'attacher.

Nous souriions encore – traversant la campagne romagnole – à cette vision de Campi le ventre à l'air, dans une des cours de la caserne, et nous omettions de nous rappeler que Campi, par la suite, avait été effectivement attaché à une échelle et emmené au bois des Châtaigniers.

Nous nous sommes rappelé aussi nos deux camarades de faculté, la même année de médecine. Toutes les deux de Ravenne, comme Campi.

Belles toutes les deux, l'une même fort élégante, toujours bien mise, les cheveux comme perpétuellement lavés de frais et ondulés, enveloppée d'une riche pelisse.

Elles avaient fréquenté le même lycée que lui à Ravenne, ils avaient grandi ensemble.

Preuve de la fureur domestique de ce diable romagnol qui palpitait en Mario Campi, ce feu que même le lieutenant allemand Karl, quelle qu'eût été sa férocité, n'est pas parvenu à éteindre; preuve de ce que Campi était resté homme du peuple, chargé de tous les héritages romagnols, un matin que dans l'amphi ses deux compatriotes avaient bavardé plus que d'habitude avec d'autres étudiants, avec une pointe de provocation, sans réserve, il s'est approché d'elles.

Je me tenais derrière, me dirigeant moi aussi vers la sortie.

Il s'est approché d'elles et leur a débité dans un romagnol parfait un flot d'invectives cinglantes.

Les deux filles se sont retournées, elles ont reconnu Campi qui les tançait dans ce dialecte aux syllabes si drues.

Toutes deux ont baissé la tête, brusquement muées en d'humbles Ravennates prises en faute, justement rappelées à l'ordre par Campi.

J'ai parlé par la suite avec Turri de cet accès de réprimande, et nous avons ri ensemble de ce Campi fustigateur, lui qui fréquentait les bordels et traitait les prostituées comme des âmes damnées vouées aux profondeurs de l'enfer.

À présent nous nous rendions chez sa mère, Sandrina. Celle qu'à peine levé le matin, au lieu d'aller l'embrasser tendrement comme son cœur le lui dictait, il appelait d'en haut, de l'étage. En aboyant ses ordres :
— Sandrina ! Une côtelette !
Avant de claquer la porte pour se mettre à étudier, se plongeant dans un de ses gros livres de médecine habituels.

Sa maison se trouvait dans la banlieue de Ravenne, fière maisonnette de braves ouvriers. Nous l'avons visitée, montant à l'étage, accompagnés par Sandrina, pour voir la chambre de Campi, cette porte qu'il envoyait valser chaque matin.

Sa déclaration d'amour à sa petite amie a été encore une de ses surprises. C'était pour lui un véritable amour, non une de ses tribulations sexuelles coutumières.

Pendant la Résistance, il avait rencontré une jolie fille, elle faisait la navette, porteuse de messages, bref, une camarade elle aussi. Ils se sont vus deux ou trois fois pour un « travail clandestin », mais il ne lui a pas avoué ses sentiments. Un matin, elle l'a accompagné à la gare ; quelqu'un devait arriver de Forlì.

Tous deux étaient à bicyclette, mais ils cheminaient à pied, sans doute par désir commun de rester plus longtemps ensemble.

Comme ils arrivaient devant la gare, elle lui a dit :
— Mario, je dois y aller, bonsoir.

Campi s'est décomposé, un bouillonnement dans la poitrine, une ruche dans la tête.

Elle a lentement fait demi-tour et commençait à s'éloigner.

Alors Campi a jeté sa bicyclette en travers de la rue. Il a appelé la jeune fille, crié son prénom.

Elle s'est retournée, interdite, contemplant la bicyclette gisant par terre.

Il s'est approché, a saisi le guidon de sa bicyclette à elle pour la lancer énergiquement de côté, a pris la jeune fille, l'a enlacée et embrassée au beau milieu de la rue, ignorant brusquement les règles de la clandestinité, qui le dominaient si souvent, oubliant toute prudence.

Mais revenons à Sandrina, à sa mère, qui naturellement dans sa petite maison de Ravenne nous avait attendus, avec son mari électricien. Elle avait préparé le déjeuner.

Il n'y a eu aucune scène, ni en mots ni en gestes.

Son père était de marbre, au début il n'a pas prononcé trois mots. Déjà, avant la mort de son fils, il se tenait le plus souvent à l'écart, peu communicatif; désormais muet, le regard fixe, il semblait ne plus avoir de rapports avec personne.

Sandrina était calme, en attente douce, cette journée lui était l'offrande d'un grain de bonheur : les amis de son fils – tant de fois par le passé leurs prénoms avaient couru à travers ces pièces – déjeunaient à sa table, devant elle, elle pouvait les contempler comme elle contemplait autrefois son Mario.

Sandrina, petite silhouette svelte, tenait de l'enfant, incapable peut-être de figurer un personnage de tragédie.

Il lui avait échu de vivre avec deux hommes singuliers, un mari taciturne, un fils très tendre envers elle mais furieux contre lui-même dès que sourdait le moindre sentiment. Un camarade, un communiste ne pouvait montrer aucune mièvrerie, rien d'efféminé, il devait se consacrer entièrement à la cause, en faveur de la justice sociale, prêt à tout moment pour le grand idéal.

Ainsi, Sandrina, échouée entre deux hommes pareils, était comme un petit oiseau, pépiant malgré tout, mais en cage. Des années avaient passé, sans qu'elle eût jamais trouvé le moyen de se libérer de ses effusions enfantines.

Son fils avait été tué, son mari n'avait presque plus parlé. Sandrina s'était retrouvée libérée, elle avait commencé à entreprendre tout le monde, à jacasser. Elle avait raconté partout son expédition à Belluno à la recherche de son fils, les raisons de son expédition au bois des Châtaigniers, et les sœurs, les sœurs de l'hôpital de Belluno qui considéraient son Mario comme un saint, un martyr, elles avaient pleuré en l'embrassant. Bref, Sandrina était restée une enfant, mais désormais elle pouvait le manifester, libérer son âme en vol.

Turri, dès le premier instant qu'il est entré dans la maison, a usé de la plus grande prudence : il ne voulait en aucune façon, par ses paroles ou par les expressions de son visage, susciter de la part des deux époux des questions, des comparaisons entre leur sort et celui d'autres parents, encore moins les pousser à imaginer l'avenir sans leur fils unique. Il s'adressait surtout au père, lequel, mutique, possédait probablement un riche langage intérieur.

Le père de Campi, l'électricien, avait été un fervent socialiste, et Turri le flattait, admirait sa foi, sa conviction que les peuples non sans difficulté puissent progresser, que tant de sacrifices puissent être nécessaires et justifiés pour que des enfants sourient et rient à nouveau au lieu de pleurer.

Le père finissait-il par murmurer une réponse, Turri aussitôt se penchait pour l'écouter avec la plus profonde des attentions.

À peine avions-nous franchi le seuil ce matin-là, Turri m'avait averti d'un clin d'œil, m'invitant à l'aider, à essayer de distraire un tant soit peu ce pauvre vieux. J'en ai délaissé de plus en plus Sandrina pour me consacrer entièrement à son mari.

L'après-midi, nous avons appris que la fiancée de Campi, la messagère résistante, la camarade à bicyclette, passait souvent à la maison, qu'elle se comportait en veuve. Les deux vieux la traitaient comme leur fille, et tiraient de sa présence quelque consolation.

Nous sommes partis alors que le soir battait des paupières.

Député, parbleu!

« Me voilà député, parbleu ! » m'écrivit Turri.

Admiré comme une légende vivante, et professeur d'université, honnête, cultivé, recommandable pour la bourgeoisie, il était de l'intérêt du Parti de le mettre en tête de liste, de l'utiliser.

Turri y voyait une expérience, une aventure à tenter. Rome, tout autre chose que l'Émilie !

Déjà parmi nous il y avait eu des perplexités, des interrogations. Combien d'hommes issus de la Résistance s'étaient lancés dans la politique et pour quelles compromissions ! Comme ils étaient étonnamment accrochés au pouvoir ! Nous n'avions pas non plus imaginé le triomphe des démocrates-chrétiens. Les passions nous avaient-elles offusqué l'esprit ? Avions-nous bêtement oublié les innombrables racines de l'histoire de l'Italie ?

Turri fut élu et alla à Rome ; il ne s'y installa pas, il continuait à habiter Bologne, et faisait la navette en train. Il lui arrivait de s'arrêter à Lucques, on passait la soirée ensemble.

Avec le recul, la vue plus dégagée, je crois pouvoir dire qu'à l'époque il était comme en attente, il observait, accumulait des données, les engrangeait, mais il ne se questionnait pas, il ne disposait pas encore d'éléments suffisants pour dresser un bilan, tirer un enseignement.

Sa vie dans les derniers mois de la Résistance avait dû être tellement intense, lorsque, avec le Septième GAP, il répondait au sang par le sang, qu'à présent il se relâchait, se reposait, laissait courir, que les choses suivent leur cours.

En ce qui me concerne, je poursuivais mon service à l'hôpital psychiatrique, mais avec une nouveauté : j'avais rencontré une femme, elle s'appelait Giovanna, elle me convenait, prononçons vite le mot amour, avec tous les diables qui l'accompagnent.

Je la présentai à Turri, qui s'empressa joyeusement de lui faire rencontrer son Irene.

Les deux femmes s'entendirent, ce qui nous permit de nous voir plus souvent. Parfois, c'était nous qui nous rendions à Bologne, et nous échangions tous quatre nos confidences durant ces quelques heures.

Je m'applique à suivre l'histoire de nos âmes. Mes deux amis, tous deux Médailles d'or de la Résistance, sont morts et demeurent qui sait où. Perdus à jamais, leurs mots, nos souvenirs, nos sourires.

J'ai voulu les ressusciter par la plume. Je me suis plusieurs fois interdit la moindre suppression. Nous étions trois amis, nous parlions avec une liberté absolue.

Survint l'attentat contre Togliatti, qui se rétablit, qui retrouva la vie politique, le Parlement, la direction de son parti.

Il était juste de l'escorter, d'empêcher un nouvel attentat ; étant donné que Turri avait été un observateur attentif des mouvements de l'ennemi, et intraitable meneur d'hommes, c'est lui qu'on choisit pour veiller sur la personne de Togliatti.

À cette époque, Togliatti était en harmonie avec Mme Nilde Jotti. Turri se retrouva à fréquenter leur maison.

Il avait été préféré à un policier, même de qualité, car il était, lui, cultivé, premier de la classe y compris au lycée, il s'y entendait même très bien en grec et en latin ; or, Togliatti se piquait de philosophie, il se distrayait des pesanteurs politiques avec des jeux lexicaux, des subtilités linguistiques. Turri pouvait le comprendre ; il valait mieux se détendre avec lui qu'avec d'autres.

Tenez, j'ai un souvenir personnel concernant Togliatti.

Lors de la première campagne électorale, dans ces années-là, juste après la guerre – De Gasperi en sortit vainqueur –, Togliatti vint à Lucques pour un meeting.

Je ne pus m'empêcher de l'admirer, en tout, jusque dans sa personnalité physique, le front large et harmonieux sur lequel ne cessait de retomber une mèche de cheveux, et lui, tout en parlant, qui la rejetait de la main, d'un geste léger et élégant, et la remettait à sa place. Ce qui m'avait enchanté, c'était son langage, à la fois populaire, compris de tout le monde, chaque formule cependant choisie, du pur italien, chaque mot reflétant exactement ce qu'il voulait exprimer, chaque mot juste pour « solliciter » le cœur et l'esprit des auditeurs. La place était bondée.

Le meeting se déroula dans le silence et l'attention fervente de tous. C'était le chef de leurs ennemis qui parlait, eux les Lucquois, les Blancs, toujours attachés à l'Église, même si à certaines périodes – Réforme et Contre-Réforme – l'étreinte avait été douloureuse.

Togliatti s'adressait à eux tel un prêcheur du haut de sa chaire, avec calme, solennité.

Les Lucquois étaient étonnés, et même sur leurs gardes. Que se passait-il ? Il ne s'agissait pas là d'un sale factieux communiste, il ne paraissait pas en vouloir à leurs biens, aux gains patients, à l'épargne dévote.

J'ai mis le verbe *solliciter* entre guillemets, car lors de ce meeting, l'attention était devenue encore plus forte lorsque Togliatti – après une pause comme pour réfléchir plus intensément – demanda aux Lucquois si leurs reproches envers les communistes venaient du fait qu'ils étaient prévenants, pleins de sollicitude pour les humbles, les pauvres, les démunis, si c'était pour cela qu'ils leur étaient hostiles.

Je me souviens que ce mot « sollicitude » était resté en l'air, comme suspendu au-dessus de la marée brune de têtes, et que cette façon précise de parler est apparue comme un hommage à ce peuple qui écoutait là, sous la petite tribune ; la langue italienne, cette façon de parler, et comment qu'il la connaissait et la cultivait! et comment qu'il avait conservé au fil des siècles le beau parler, le bel italien!

Mais revenons-en à Turri responsable de la sécurité de Togliatti. Il s'exécuta, il obéit; en vérité il se sentait de plus en plus médecin légiste, l'étude, la recherche scientifique, les cours, l'enseignement. La politique, la période de la Résistance avaient été un enrichissement, la conséquence d'enthousiasmes passés, de volontés de changements, de nouveautés, mais il était profondément fait pour l'étude. La notoriété politique le pénalisait par rapport aux autres professeurs, ses concurrents aux chaires de médecine légale, elle faisait de l'ombre à sa personnalité de scientifique, forcé de se consacrer tout entier à la recherche, son unique nourriture.

Turri se plia en silence à cette charge de garde du corps. Lorsqu'il venait à Lucques, il arrivait de plus en plus fréquemment qu'il me glisse quelque confidence, combien dominait la bureaucratie dans le Parti, à quel point on ne discutait plus les mots d'ordre, combien monotone était le langage; les inventions, les satires et même l'ironie étaient bannies. Avant tout, on évoluait dans le Parti en se montrant docile, courbé.

Bref, je remarquai qu'il amassait, engrangeait toutes sortes de matériaux.

Il me narrait aussi de savoureuses anecdotes : avec quel soin, par exemple, Togliatti se préparait avant d'intervenir à la Chambre des députés, pendant deux ou trois jours la maison plongée dans un silence absolu; combien Togliatti était sobre, spartiate, peut-être à force de fréquenter cet horrible hôtel Lux de Moscou, duquel on sortait si facilement pour être conduit à la mort, et naturellement l'inconscient « coupable » se retrouvait à avouer tous les crimes, toutes les trahisons.

Turri me racontait que parfois il lui semblait apercevoir, transparaissant aux tempes de Togliatti, l'implacable rictus de Staline, lequel, résolu à transformer la Russie rurale en une puissance industrielle, avait massacré à tour de bras.

Il me rapporta même une question surprenante que Togliatti lui avait murmurée non sans hésitation, appréhension : à son réveil après l'intervention chirurgicale qu'il avait subie à cause de la balle qui l'avait atteint à la tête, dès que la conscience lui était revenue et qu'il avait entrouvert les yeux, aussitôt les camarades réunis s'étaient penchés sur son visage et empressés de l'informer de cette pluie de messages arrivés du monde entier, de compassion, ou de haine envers l'auteur de l'attentat.

Togliatti avait écouté les flatteurs, puis, dans le silence qui avait suivi, il avait demandé :

— Croce a-t-il téléphoné ?

Les camarades courbés avaient bien compris qu'il parlait du philosophe Croce, de Benedetto Croce, et s'étaient consultés du regard. Croce n'avait rien envoyé.

L'un d'eux avait bredouillé :

— Non... Croce, non...

Cette première question de Togliatti m'a bien plu, en même temps qu'elle m'a indigné, parce que, aussitôt, je me suis souvenu que ce même Togliatti, dans la presse de son Parti, s'était plusieurs fois déchaîné contre le philosophe libéral, recourant à des sarcasmes de bas étage, et il avait procédé de la sorte soit pour alimenter le fanatisme obtus, soit plus probablement pour que les Russes constatent combien il leur restait fidèle, un pur marxiste-léniniste.

Je me suis souvenu d'une lettre de Croce adressée directement à Togliatti, dans laquelle, sans malice, en vieux grand-père, il le mettait en garde contre le fait d'être autant politicien, seulement politicien, totalement politicien : une souffrance humaine pourrait l'effleurer, peut-être alors ne trouverait-il plus la capacité de s'attendrir, de s'abandonner à l'émotion.

Turri continue le bal tout seul

Pour moi ç'a été plus facile, je m'étais tenu à l'écart. Pourtant moi aussi j'ai accumulé une à une les déconvenues, les fausses notes ; souvent j'ai surpris sur mon visage un sourire amer, la désillusion rôdait.

Mais c'était facile : je n'étais même pas inscrit au Parti communiste, je n'y avais jamais pris ma carte, je n'avais jamais rien signé, subodorant le risque de tomber sous tutelle. Alors que pour les camarades, à l'époque, prendre sa carte représentait un acte important, déterminant, capital. Tout inscrit devenait un adepte, un affilié, comme s'il avait juré une obéissance aveugle.

Après la Libération, mais encore en 1950-1951 lorsque Turri a quitté le Parti communiste, dans les rangs des adhérents courait la foi, ou plutôt un fanatisme avec un je ne sais quoi d'anonyme, on était disposé à une soumission absolue, tout esprit critique anéanti, exactement comme sous la récente Dictature fasciste. Les mots d'ordre étaient paroles d'Évangile. Bien rares étaient ceux qui avaient l'idée de discuter, l'envie de critiquer, d'affirmer leur personnalité.

En raison de notre fraternisation durant la Résistance – en Versilia, presque tous les partisans étaient résolument communistes –, j'ai continué à les fréquenter même après la Libération, entrant volontiers au siège du Parti à Lucques et prêtant la main au service de presse. J'avais une certaine expérience d'écrivain et, dans la mesure du possible, je veillais à ce qu'affiches ou autres imprimés ne comportent pas de coquilles; je pratiquais un certain langage, un italien clair. Je passais aussi mes heures creuses en leur compagnie, je n'avais pas d'autres amis, et on me pardonnait ma non-inscription. J'avais de l'affection pour eux, oui, longtemps j'ai partagé leur cause : que nul homme ne puisse en opprimer un autre.

Lors des premières élections législatives qui se sont tenues en Italie, j'ai même fait partie du comité d'honneur sur la liste Garibaldi.

Et ce, pour une raison simple : tous les professionnels de la province qu'ils avaient invités ont décliné l'offre au dernier moment; c'était une bonne chose qu'un diplômé au moins figurât sur la liste, quelqu'un apportant sa caution d'homme instruit.

Ils sont venus me solliciter, non sans hésiter, ayant déjà flairé ma rébellion, les doutes que j'avais exprimés, ils connaissaient mes jugements cinglants sur la bureaucratie du Parti, ma révolte devant la soumission complète aux bolcheviks, aux Russes. Je soulignais ce qui transparaissait de leurs actes : peu importe que toute l'humanité soit enchaînée, pourvu qu'au faîte de chaque clocher flottât l'étendard moscovite.

On me demanda d'entrer au comité d'honneur; j'acceptai aussitôt, mais pas par convenance politique, comme l'a montré mon futur comportement : je n'étais pas naïf au point de ne pas voir que Lucques avait toujours été blanche, favorable à l'Église, et que cela continuerait, il n'y avait aucun mérite, à Lucques, à être membre du comité d'honneur de la liste Garibaldi, des Rouges.

J'acceptai en souvenir de la Résistance, et parce que j'espérais encore avec ferveur que les hommes feraient preuve de bonté, tous ou presque tous bons, dès lors qu'ils se libéreraient des griffes de l'argent, de ce qu'on désignait à l'époque du nom générique de capitalisme.

Pour moi, ce fut facile de prendre mes distances avec un parti auquel je n'adhérais même pas, et puis je n'étais qu'un anonyme : membre ou pas, les politiques, tout le monde s'en moquait, personne ne s'en apercevait; en outre, j'étais médecin d'un hôpital psychiatrique, donc sûrement un peu fou, voire complètement cinglé.

En tout cas, j'ai éprouvé quelque amertume, de la douleur aussi, à constater qu'on ne change pas le monde, que les hommes sont tels que Machiavel les a si souvent dénoncés, soumis aux lois implacables de la politique, du pouvoir, du commandement.

Je cherchais du réconfort dans l'idée que la Résistance avait été une époque magnifique, où l'on croyait à l'humanité, dans un passé plus lointain aussi, quand, avec Turri et Campi, nous bâtissions encore et encore notre château, fier et solennel, avec ses tours, inexpugnable, le château de l'utopie.

Il m'a été facile de m'éloigner du Parti communiste, de ne plus fréquenter les camarades, d'autant plus que, déjà familier de la solitude, je n'ai pas éprouvé une peine excessive à pénétrer de nouveau, lentement, dans ce tunnel.

J'avais deviné ce qui avait traversé l'esprit, le cœur de Turri.

Nous ne nous étions pas encore parlé de vive voix, mais j'étais tellement sûr de ses nouvelles réflexions que lorsque, un après-midi – ce devait être en octobre ou novembre 1950 –, il est arrivé à l'hôpital psychiatrique de Lucques et que, comme d'habitude, il a déboulé dans mon réduit – j'étais à cet instant-là dans mon fauteuil favori, occupé à dévider je ne sais quelle pensée, ou seulement en quête d'inspiration, avec l'envie de me mettre à écrire –, j'étais tellement sûr de mes conclusions que, lorsque je l'ai vu entrer et se présenter à moi, pâle, empreint de colère et de détermination, les mots lui brûlant les lèvres, je l'ai devancé :

— Tu vas quitter le Parti !

— Oui, a-t-il dit en souriant, délivré, ému.

Turri est venu me le dire

Cela paraît impossible, c'est pourtant la réalité.

Je ne l'attendais pas. Turri a toqué à ma porte, est aussitôt entré sans attendre de réponse. J'étais dans mon petit fauteuil, un héritage de ma mère.

Je le répète, rien ici n'est inventé, rien n'est imaginé, je reste à chaque ligne en tête à tête avec moi-même, avec mes amis Turri et Campi, avec tout ce qu'il m'a été donné de vivre.

Notre amitié était si profonde, nous avions tellement œuvré ensemble à nos rêves que, même sans nous voir, sans nous fréquenter, notre dialogue se poursuivait, nous savions tout ce qui nous passait par le cœur et par l'esprit. Il nous semblait même que Campi demeurait avec nous, qu'il n'était pas mort.

Pour ma part, il m'avait été donné de participer à la Résistance, mais non dans une zone d'extrême violence comme cela s'était produit pour certaines villes du Nord. En tout cas, j'y avais contribué, et les idées révolutionnaires continuaient à fermenter en moi. Une fois la Libération advenue, c'est un hasard, une lueur de soupçon – je le répète –, un petit vent secret d'indépendance, qui m'a amené à ne pas adhérer au Parti communiste. Mais je le fréquentais au quotidien, à Lucques, une ville dominée par les démocrates-chrétiens.

Je m'y sentais utile : je révisais toutes les publications, je rédigeais souvent les manifestes, l'un d'eux a même été transmis à Rome. Un intellectuel du Parti de passage à Lucques l'a lu et l'a emporté. Il l'a remis à la direction des Boutiques-Obscures, qui l'a imprimé à grand tirage. En substance, j'obéissais encore à ces rêves qui m'avaient consumé jusqu'à trente-quatre, trente-cinq ans.

C'est ce qui est arrivé aussi à Turri, et à Campi jusqu'à ce que la mort vienne l'étreindre. Sauf que Turri était devenu un partisan renommé ; par la volonté du peuple, les Bolonais l'ont élu député. Il a accepté, il allait au Parlement. Il a obtenu une majorité écrasante : en outre, tout le monde reconnaissait son honnêteté.

Devenu député, Turri continuait à venir me voir. Soudain, un léger bruit à ma porte, dans l'hôpital psychiatrique. Mon grand ami apparaissait. Chaque fois, le dialogue se poursuivait comme une conversation interrompue la veille.

Et ainsi au fil des ans.

Mais lentement – chaque jour un nouveau grain s'ajoutait au petit tas –, chaque jour, je m'avisais, je constatais que le Parti communiste italien n'était en rien le reflet des idéaux enflammés de notre jeunesse. À chaque instant croissait en moi un infime mais réel sentiment de refroidissement.

J'ai bientôt compris que le pouvoir bureaucratique était le véritable maître au sein du Parti, le togliattisme, rien d'autre que tout ce que Togliatti avait importé de Russie. Une loi implacable. L'amour du peuple, des humbles, des prétendus prolétaires, tu parles !

À quoi rimait cette collaboration ? Étais-je en train de devenir un esclave ? D'aider malgré moi à l'avènement d'un monde bien différent de celui auquel nous rêvions ?

J'ai réduit ma fréquentation du siège du Parti, même si, lorsque je rencontrais dans les ruelles de Lucques un de ses employés, on me laissait entendre que j'étais le bienvenu.

Je demeurais seul et silencieux. À Lucques, personne ne m'accueillait. J'avais une réputation de communiste, un docteur, un diplômé qui s'apparente aux communistes, c'était, pour les Lucquois, digne de mépris.

Durant tous ces mois, Turri s'était fait invisible, je m'interrogeais sur les raisons de son silence. Tout seul, je me suis résolument détaché du Parti.

Je vivais à l'hôpital en presque complète solitude, ruminant mes croyances passées, ces rêves, ces idéaux qui m'avaient dominé. Combien de fois je repensai à Campi torturé puis pendu au bois des Châtaigniers.

Je vivais seul, parmi les fous, au seuil du désespoir, tout espoir brisé.

Et, un après-midi – j'étais assis dans mon éternel petit fauteuil –, un bruissement à la porte qui s'est ouverte aussitôt : Turri.

Qui me l'a envoyé? Qui me l'a prescrit? L'âme de Campi?

J'ai lu sur son visage la même implacable désillusion qui vivait en moi et, avant qu'il prononce la moindre syllabe, j'ai dit :

— Tu vas quitter le Parti?

— Oui, a-t-il répondu d'une voix blanche mais tranchante, avant d'ajouter : On se comprend même sans se voir... Oui...

Il s'est épanché. Il avait vécu ce que j'avais vécu, jour après jour, heure après heure. Mais lui possédait des informations de premier ordre, il était au contact des dirigeants, il devinait toutes leurs intentions, toutes leurs vérités.

Finalement, il en était arrivé à la conclusion qu'il s'était complètement fourvoyé. Le Parti communiste italien m'apparaissait comme la négation de toutes nos espérances. Le contraire de ces idéaux pour lesquels tant de jeunes camarades étaient morts.

Turri, des mois durant, avait repensé au temps où il prônait une absolue fidélité au Parti, dépositaire de toutes ses aspirations.

Une erreur totale, le Parti avait basculé dans un précipice, tout s'était effondré.

Mais lui, Turri, ne trahissait-il pas ces jeunes camarades tombés? Était-il contre la liberté? Disposé à vendre l'Italie à la Russie?

Il m'a exposé une à une les raisons pour lesquelles il voulait quitter le Parti, donner publiquement sa démission. Il était venu me le dire, j'étais le premier auquel il se confiait.

J'ai fixé son visage blême, où se lisait aussi une ferme volonté. J'ai compris, j'ai deviné qu'il passerait à l'acte, que ce serait un événement fort, le député et célèbre partisan Aldo Turri disait non au Parti, d'une certaine manière le dénonçait. À cette époque, il fallait du courage.

Nous avons préparé un plan d'action.

— On se comprend même sans se voir! a-t-il répété, avant de s'asseoir et de se relâcher.

C'était la première fois qu'il avouait à quelqu'un son tourment, et c'était moi qu'il avait choisi, Alfeo Ottaviani, son vieil et fraternel ami.

Il ne s'était confié à personne : un politique se dirige tout seul.

Pour quitter le Parti sans être sali, pour en sortir propre, la première règle était le silence. Si ses camarades découvraient son intention, leur première mesure serait de le couvrir d'infamies afin de minimiser ou d'annihiler son geste, de faire passer Turri pour un homme de peu, un soudoyé, avec une réputation usurpée de partisan valeureux, une Médaille d'or purement décorative.

Pour moi c'était facile; lui, il lui fallait aussi traiter avec les morts, nombreux.

Il est parvenu, douloureusement, au stade de la démission. Il m'a avoué que chaque jour un nouvel écrou le vissait, le serrait, le contraignait. Il continuait à être témoin de la désillusion, et un écho lui parvenait, qui répétait « non, non ».

Cela m'était arrivé aussi, mais de manière superficielle; lui, il était le représentant, le responsable, le partisan légendaire, le gappiste, et qui plus est député, élu du Parti, au nom du peuple.

J'écoutais en silence, toujours, sans quoi il ne serait pas parvenu à énoncer son jugement, l'erreur qui avait consisté à révérer, à suivre ceux qui étaient venus de Russie, une quarantaine, imprégnés de stalinisme, avec l'ordre de nous transformer en esclaves, enchaînés à l'Est.

Les « non » retentissaient dans l'âme, dans l'esprit de Turri, et les morts pour la cause, pour cet idéal, ses morts devant lui, le regardaient, l'écoutaient, parfois lui souriaient, Turri combattant toujours, mais seul à présent, l'unique survivant pour continuer le bal du Septième GAP.

« Turri, lui disaient ses morts, tu es resté le même, tu as seul le courage de dire non à un parti où tous les adhérents sont mis en cage, ils ne hochent la tête que dans un sens face aux mots d'ordre qui tombent d'en haut. »

De fait, aussitôt après la Libération, mais encore en 1950 et les années suivantes – dans les premiers mois de 1951 quand Turri a quitté le Parti avec fracas –, régnait, circulait dans les cellules, les sections, les fédérations, un fanatisme qui tenait de l'obtus, une façon d'avancer sans regarder la route.

C'est à cette énorme cage en fer qu'il devait s'attaquer; pour le moment, il était bien seul.

En l'écoutant, j'évaluais le danger qu'il courait, mais aussi sa famille, sa femme et ses enfants.

Après tant d'années, tant de changements, il est difficile de restituer la réalité d'alors, de rappeler exactement la situation. « Était-il possible qu'il en fût ainsi? » se demanderont certains lecteurs.

Les mêmes masses qui naguère avaient acclamé le magnifique Duce, à présent chérissaient un marxisme-léninisme trouble que nul ne saurait expliquer avec clarté, avec simplicité.

— Ce qui me blesse le plus, a poursuivi Turri, c'est que dans mon supposé Parti, je n'entends jamais un accent vraiment italien, de notre peuple, comment te dire, un reflet de notre grandeur dans l'art, dans la poésie; chez eux tout procède de la Russie, toujours, Staline pour modèle et absolument jamais aucune référence aux camarades qu'il a fait exécuter, des innocents contraints de se dénoncer comme d'ignobles traîtres.

Quelle douleur, quel tourment!

Ç'a été un combat douloureux pour Turri de rompre avec le Parti communiste. Il lui a fallu tout son courage, toute sa détermination.

La première annonce, le premier coup de semonce, je l'ai eu, comme je l'ai dit, cette fin d'après-midi-là à Lucques, tandis que je m'abandonnais à ma solitude habituelle, à la mélancolie.

Il lui en a fallu de la souffrance et du courage pour briser cette chaîne.

Encore une fois, on ne peut pas bien comprendre si on oublie qu'à l'époque régnait dans les rangs du Parti un fanatisme solide, Staline battait monnaie, la trahison était l'infamie des infamies, les militants avançaient les yeux bandés l'un derrière l'autre, indistincts, chaque parole venue de Russie portait une marque indélébile, que nul ne pouvait discuter.

Et puis, lorsque le bien-être est arrivé, que les capitaux ont afflué, que toutes les formes de volupté sont entrées dans les maisons ouvrières, cela a changé.

Qu'on imagine ces années-là – 1950-1951 –, lorsque Turri a décidé de quitter le Parti. Cet après-midi où il est venu chez moi, seul, il ne s'était pas encore concerté avec son ami d'enfance Bitossi, alors secrétaire de la fédération communiste de Reggio Emilia, et très aimé, adoré par tous les camarades de sa ville et de la province.

C'est à lui que j'ai tout de suite pensé :

— Tu en as parlé à Bitossi?

— Pas encore. Je suis sûr qu'il envisage lui aussi quelque chose.

Ils avaient grandi ensemble, Bitossi et lui, et s'étaient forgé ensemble une conviction communiste; une même disposition à la politique. Au début, c'étaient de purs libéraux, ils ne voyaient d'avenir fructueux que dans le seul libéralisme. Puis de plus en plus, ils avaient embrassé l'idée révolutionnaire : il fallait changer, renverser, abattre l'argent, la domination du capital; les ouvriers étaient exploités, il fallait les délivrer de leurs chaînes.

Turri et Bitossi avaient parlé des heures et des heures durant leur jeunesse, ils comptaient parmi les plus actifs de ce groupe, de cette petite secte qui s'était constituée à Reggio Emilia, des jeunes liés par une même confiance et qui s'enrichissaient les uns les autres dans de longs débats, partageant leurs idées, leurs découvertes, petites ou grandes, leurs revues et leurs livres.

Combien d'élans d'espoir parmi ces jeunes d'une possible lutte prochaine!

Je les ai un peu connus et les ai admirés. En Toscane, je n'avais jamais pu rallier de pareils groupes de jeunes. Probablement que le cynisme railleur, que l'incrédulité toscane ne favorisent pas le surgissement, sous une Dictature, de ces petites sociétés secrètes.

La guerre avait éclaté, et presque tous les membres de ce cercle avaient rejoint leur peuple à l'armée, pour devenir soldats; c'était là une de leurs fermes convictions, un credo, il fallait être auprès des humbles, des ouvriers, des prolétaires, participer à tous les événements les concernant : si le peuple était en guerre, ils devaient l'être, eux aussi.

Bitossi a été envoyé en Yougoslavie; après le 8 septembre, bloqué là-bas, il n'a pas pu rejoindre la Résistance. Sur place, en Croatie, il a organisé des formations partisanes avec des soldats italiens, jusqu'à ce que, enfin, toute l'Italie désormais libérée, il rentre chez lui, à Reggio Emilia.

Turri, devenu le légendaire Iacopo, a pris soin de rappeler à la fédération communiste de Reggio quel grand camarade était Bitossi : qu'on l'accueille et qu'on l'honore; mais Bitossi n'a pas eu besoin d'aide, il s'est lancé dans des meetings, a séduit tout le monde, est vite devenu très populaire. À la fin du meeting, après des applaudissements nourris, souvent des camarades venaient l'entourer pour le prier de parler encore.

— On est là, continue. Recommence, s'il te plaît, un autre discours.

On l'adorait ingénument comme un prêcheur du temps où l'on fréquentait les églises.

Voilà pourquoi j'avais d'abord demandé à Turri s'il avait averti Bitossi de sa décision de quitter le Parti.

— Oui... a-t-il murmuré comme à lui-même. Il y a déjà quelque chose en lui... comme pour moi. Je le sens. Je le vois dans deux ou trois jours. Je lui ai envoyé un mot.

» ... On est en train de forger un autre esclavage, a-t-il poursuivi, toujours comme s'il ne s'adressait qu'à lui-même. Après avoir subi le fascisme, voilà que nous en établissons un autre, mais sans les aspects grand-guignolesques; celui-ci est cruel, sans issue... Ce que connaît la Russie, des camarades innocents amenés à s'accuser eux-mêmes, pour survivre quelques jours de plus, à salir leur ami le plus cher, ou le camarade le plus fraternel et le plus pur... Nous favorisons la malédiction humaine.

» J'ai commencé à le sentir aussitôt après la Libération, a-t-il continué. Au début, j'ai eu du mal à le croire. Les cadres étaient arrivés de Russie, une quarantaine de personnes. En pratique, c'étaient eux les chefs du Parti.

» Pendant la Résistance, à l'époque, nous avions la tête pleine d'étoiles, nous jugions avec la plus grande indulgence ceux qui combattaient à nos côtés.

» Certains de ces quarante-là ont bien participé à la Résistance, mais avec un point de vue importé de Russie, une méthode qui a commencé à nous rebuter dès qu'elle a été repérée par ceux d'entre nous qui avaient la finesse d'esprit suffisante et quelque noblesse, par ceux qui combattaient pour l'Italie, avant tout pour l'Italie.

» Ceux-là, cette quarantaine de dirigeants débarqués de Russie, agissaient dans le but délibéré de livrer les Italiens comme esclaves aux Russes. Ces cadres formés là-bas se présentaient comme des champions d'altruisme et d'abnégation, alors qu'ils n'étaient eux-mêmes que les valets d'une nation étrangère, la Russie, à laquelle ils s'étaient vendus corps et âme ; en cela, ils n'étaient pas des Italiens, mais des ennemis de l'Italie, qu'ils voulaient asservir à leurs propres maîtres.

» Voilà la raison fondamentale qui fait que je pars, que je quitte le Parti communiste, voilà la vérité qui m'a armé.

» Ç'a été dur, douloureux, d'en venir là, de découvrir dans quelle erreur nous sommes tombés, la négation de tous nos idéaux de jeunesse, de nos combats, de la mort de Campi.

J'écoutais et regardais mon ami : une vraie flamme, la décision était absolue, sa volonté vibrait, un religieux prêt à toute épreuve pourvu qu'il puisse propager sa parole.

Giulio

On s'est revus, Turri et moi, quelques jours après; à un moment donné, il m'a demandé :

— Le Parti, le Parti communiste, peut-il te faire chanter, inventer quelque affaire sur ton compte? Naturellement, pour nous diffamer.

— J'y ai pensé. Je le crois, rien qu'à cause de Giulio.

— Qui est-ce?

— Pendant la Résistance, ai-je commencé, un jour, le représentant du Parti, le responsable du secteur, est apparu. Il passait chez nous à peu près une fois par semaine. La première fois, avant de se rendre à Viareggio, il est venu me voir, ici à l'hôpital, et je lui ai tout expliqué, dans les détails. À Viareggio, il a étonné tous les affiliés : il connaissait la moindre qualité, la moindre faiblesse de l'organisation.

— Et alors?

— Il a continué ses visites, semaine après semaine. Il allait ensuite manger au bistrot du Monte di Quiesa, où j'étais connu. Et lui – son nom de guerre était *Berto* –, il se détendait, se relâchait, s'abandonnait de plus en plus. Il était allé en Russie, il avait logé dans le fameux hôtel des exilés, l'hôtel Lux, duquel on pouvait brusquement disparaître.

» Et puis, une des premières fois, brusquement, il m'a serré la main et déclaré : « Tu vas devenir un grand camarade! Mais tu ferais mieux de mettre tes immenses qualités à notre service, en enseignant aux gappistes comment avoir l'esprit plus clair, comment agir en toute lucidité. »

» Je n'ai pas eu de mal à comprendre, je devais leur enseigner à mieux tuer. « Jeudi prochain, je t'envoie le premier. »

» Il est arrivé, s'est présenté au portier du fond, je l'ai reçu dans mon réduit. Je m'étais préparé : les mots et les actions à indiquer.

» J'avais un pistolet de précision, hérité de mon père. Je l'ai utilisé comme objet de démonstration, comme exemple, non pour tirer.

» D'abord j'ai expliqué à l'aspirant gappiste qu'il tuait pour un idéal, pour le bien des autres hommes, contre les injustices sociales. Voilà pourquoi il devait se montrer calme, serein, si possible presque souriant, avant tout les gestes ne devaient rien laisser paraître, colère ou haine, pour ne pas alarmer un possible passant.

» Je lui tendis le pistolet : « Mets-le dans ta poche, il n'est pas chargé, fais comme s'il y avait six balles dans le barillet. »

» On quitta la pièce au moment du changement de service ; un groupe d'infirmiers entrait, un autre sortait.

» Je profitais des retardataires, les derniers ; dans l'allée, les mouvements étaient rares désormais.

» J'étais à côté de lui ; on descendait l'allée ensemble jusqu'au portier du fond. « Tiens : celui-là ! Imagine que tu vas tuer celui qui marche devant nous. Approche-toi de sa nuque, le pistolet déjà serré dans la main. Attention, sois calme, personne ne doit rien deviner. Rappelle-toi que c'est l'idéal qui te commande. Affiche une expression ordinaire, tu tues pour le bien des travailleurs... », et je continuai à peu près sur cette note.

» Berto, le représentant du Parti, m'a d'abord envoyé celui-là, puis un autre la semaine suivante. Habituellement, le jour choisi était le jeudi.

» Si je ne m'étais pas lassé, ces gappistes seraient devenus familiers avec moi. À un moment donné, ils me parlaient comme à un camarade, on eût dit que j'étais à leur service. Ce tutoiement m'irritait, comme si nous étions des amis d'enfance.

» Tandis qu'on était à la trattoria habituelle, j'ai dit à Berto : « Écoute, si tu m'en envoies un troisième, demande-lui de

me *vouvoyer*. Que ces petits camarades restent à leur place.
– Bravo ! Bravo ! s'est écrié le représentant du Parti. C'est exactement la bonne attitude. Je t'avais dit que tu deviendrais un grand camarade. C'est fait. Tu as trouvé la bonne procédure. »

» J'ai compris, j'ai saisi : derrière ces exclamations, il y avait la Russie, la hiérarchie, l'inflexibilité. Les militants doivent voir leurs chefs comme des dieux, lointains, élevés. Pas de familiarité.

» Berto m'a envoyé le troisième : *Giulio*.

» Comme d'habitude, il s'est présenté au portier du fond. Ce jour-là, c'était D'Angelo. Il a dit, comme convenu, qu'il était médecin, que je l'attendais.

» Le portier m'a téléphoné.

» Je lui ai dit de le faire monter chez moi.

» Giulio, c'est à lui que j'ai pensé quand tu as démissionné du Parti, avec Bitossi, j'ai songé à lui, un peu, beaucoup. J'ai pris peur.

— Pourquoi ? a demandé Turri.

— C'était dans les jours qui ont immédiatement suivi la Libération, ai-je tenté d'expliquer.

» Un jour, le secrétaire de la fédération communiste de Lucques, tandis qu'il commentait l'élimination d'un homme politique fasciste de premier plan, a précisé : « Mais oui, bien sûr, je connais parfaitement cette histoire. Celui qui l'a tué, c'est Giulio, un cher camarade, prêt à suivre tous les ordres, et juste après, il a été appelé à Rome, au Centre, au Parti. »

» Je me suis demandé si ce Giulio était celui que j'avais eu pour élève.

» Je n'ai rien dit toutefois au secrétaire fédéral de Lucques, je n'en ai pas soufflé mot. Et, cette nouvelle que le gappiste Giulio avait été appelé à Rome, au Centre, ne me plaisait pas du tout.

Turri écoutait patiemment.

— Laisse-moi aussi te rapporter un petit appendice.

» Le portier de l'hôpital psychiatrique auquel s'était adressé Giulio, D'Angelo, m'a confié tout de suite après la

Libération et à ma grande surprise – j'étais convaincu d'avoir agi avec perspicacité, dans l'ombre, en secret, en bon *clandestin* – qu'il était lui aussi un affilié : « Voyez-vous, selon moi, seul le troisième était vraiment mauvais, le regard froid, capable de tous les crimes. Pas les deux premiers. »

» Le troisième, c'était Giulio. Le troisième gappiste à s'être présenté à l'hôpital.

— Mais de quoi as-tu peur ? a fini par s'exclamer Turri.

— J'en suis venu à penser que ce Giulio, sur ordre de son Parti, serait capable de déclarer, de prétendre que c'était moi qui le poussais, l'incitais à tuer non pour l'idéal, pour la liberté, mais pour de bas intérêts, des vengeances personnelles ; je crains même que le Parti ne l'amène à impliquer d'autres faux témoins.

— Le portier de l'hôpital est-il toujours en vie ?

— Non. D'Angelo est mort.

— Alors c'est ton imagination ; tu n'as rien à craindre. Le cas échéant, nie tout. Tu n'as jamais rencontré aucun Giulio. Dis-moi plutôt, Berto, le représentant du Parti, où est-il ?

— Il a un cancer. Il vit à Forte dei Marmi, je l'ai vu, réduit à l'état d'un moineau aux ailes engourdies. Il ne m'a pas semblé en mesure de se souvenir de quoi que ce soit.

— Alors, a dit Turri en souriant, gentiment ironique : de ce côté, aucun danger. Le cas échéant, nie tout de fond en comble. Et reste serein.

— Mais si le Parti ordonnait...

— Ce sont tous des bureaucrates. Il faudrait qu'il y en ait un avec une forte imagination, je n'en vois aucun ; même ceux qui viennent de Russie, ils ne font que répéter des mots d'ordre, ils ont peur d'inventer. Et puis il en faudrait un qui connaisse parfaitement ton secteur, ses acteurs et ses particularités. Non, c'est impossible. Tu peux dormir tranquille.

— Ah ! Bien...

Et un long soupir m'a échappé.

Il n'y avait plus qu'eux deux.
Et ils ont mis à nu leur âme.

En duo avec Bitossi

Ils se sont entendus d'emblée, en quelques regards, deux exclamations; leurs têtes nimbées d'un essaim d'idées, d'aspirations, comme déjà sous le fascisme.

Bitossi était lui aussi parlementaire, député, élu par la volonté du peuple : il soulevait l'enthousiasme lors des meetings. On l'avait choisi également comme secrétaire de la fédération communiste de Reggio Emilia, le camarade le plus apprécié de cette région rouge.

C'est justement en tant que secrétaire fédéral qu'il avait été amené à toucher de près et à devoir supporter l'inertie du Parti. Quelle différence avec les flammes de sa jeunesse! Qu'était devenue la première loi, celle de la liberté?

Les mots d'ordre émanant du Parti de Rome étaient arides, il fallait les seriner, les adhérents transformés en machines, en automates, l'imagination humaine prohibée, nul ne devait se distinguer, on méprisait le courage de ceux qui s'autocritiquaient, on devait se montrer hostile à leur égard. Bref : la haine du génie de l'homme.

Tout provenait de là-bas, du sommet, de l'Est, le seul véritable drapeau qui battait, agitant mornement son étoffe dans l'air, c'était celui de l'esclavage, le but final était l'anonymisation : le seul poids des nécessités corporelles, l'âme extirpée.

Bitossi avait lui aussi désormais la conviction qu'il s'était agi d'un aveuglement.

Servir un tel système, c'était renier tout leur passé.

Il avait conscience que ceux qui l'applaudissaient à la fin des meetings étaient semblables à des enfants, et que l'objectif du Parti était de les garder dans cet état.

Comme Turri, il s'était très souvent interrogé dans la douleur; il était de surcroît secrétaire de fédération : tous les jours tombaient ces mots d'ordre monotones, ces consignes contraires aux élans de son âme.

Bitossi était moins passionnel que son ami, d'une personnalité moins puissante, mais il se montrait plus habile que lui dans une politique menée au jour le jour, dans des manœuvres élégantes, pour user d'une éloquence efficace.

Il a très vite compris qu'ils étaient seuls ou presque. On était en 1950, combien d'années faudrait-il pour voir fleurir, au sein du Parti communiste, une ligne italienne, indépendante, libre, peut-être vingt ou même trente ans pour qu'un grand parti populaire, vraiment issu de notre histoire, s'établisse et s'impose.

Les deux amis, Turri et Bitossi, se sont entendus d'emblée, aux premiers regards, dès les premiers mots, grâce à tous leurs souvenirs communs, et ces souvenirs à présent les pressaient, les incitaient, les rendaient forts.

Ils en sont très vite passés aux idées pratiques.

— Nous devons démissionner du Parti avec fracas.

— Que tous en sachent la raison.

— Les raisons.

— En attendant, gardons cela secret.

— Ils sont capables de nous en empêcher, de nous diffamer, d'user des ruses les plus cyniques pour faire obstacle à notre *pronunciamiento*.

— Ils pourraient même nous devancer en nous expulsant, avec des motifs indignes.

— Ils vont déverser sur nous des tombereaux d'infamies et nous chasser fièrement du Parti.

— Ils utiliseront la presse, leur presse et les cellules.

— Ah oui, les cellules, nichées dans chaque bourgade, dans chaque village.

— En chacune d'elles opère un instigateur.

— Il pourrait même y avoir des ordres spéciaux.

— Venus de Rome…

— En l'occurrence, de Moscou même. Un froncement de sourcil de Staline et tout se déclenche.

— Il est entraîné, il fait mouche à tous les coups.

— Tu te retrouves en Sibérie.

— Réduit au silence.

— Au néant.

— Mais cette fois, qui sait, dans une Sibérie inondée de soleil.

— Ceux qui m'ont acclamé dans les meetings seront les plus méprisants.

— Les plus acharnés.

— Dans l'immédiat, en premier lieu, garder le secret.

— La première règle : étudier chaque mouvement, et chaque mouvement rapide.

— Précis.

— Nous comptons sans doute quelques amis.

— Silencieux. Ils pensent comme nous, mais ils n'osent pas se découvrir.

— Le courage leur manque.

— La sincérité envers eux-mêmes.

— Avant tout, nous devons pour l'instant garder cela pour nous.

Tous deux ont voulu cependant se confier à une personne : moi. Turri l'avait déjà fait. Bitossi à son tour. Ils souhaitaient que, avant leur annonce, au moins un être humain soit au courant de ce qu'ils s'apprêtaient à faire, qu'une personne de leur temps sache qu'ils étaient mus par la seule vertu, par l'amour des autres, par la liberté, qu'ils n'hébergeaient en eux aucun intérêt, aucun appât du gain, seulement révéler aux Italiens quel danger représentaient les méthodes staliniennes.

Ainsi décidés à démissionner du Parti, Turri et Bitossi ont agi avec prudence, le plus placidement possible ; ils ont fait le compte de ceux qui étaient susceptibles de pencher plus ou moins ouvertement en leur faveur. Ils ont évalué les réactions qu'ils allaient provoquer.

Turri demeurait un calculateur, bien que dévoré intérieurement par les flammes.

Au bout d'un mois environ, lui et moi sommes convenus d'un rendez-vous à Rome.

— Jeudi, piazza di Spagna, en début de soirée.

À l'heure dite, j'ai avancé vers lui. Il m'a aperçu, est venu à ma rencontre, il ne m'a salué qu'à peine.

— Je dois le faire, je dois le faire.

J'ai mesuré une fois de plus son courage, indompté ; et de quelle passion il était agité, il ne craignait personne. Ceux de son Parti étaient les rois de l'hypocrisie, faux ; leur visée : l'asservissement des hommes, esclaves pour le moins d'une idéologie.

Il avait maigri, plus pâle que d'habitude, retrouvant un je ne sais quoi de jeunesse, quand il était étudiant à Bologne. Il m'a aussitôt donné des indications détaillées sur la manière dont Bitossi et lui entendaient se comporter pour ne pas se laisser surprendre, entraver, bâillonner, peut-être bien passer à tabac et tuer.

Le premier acte, assez brusque, un matin, la communication au président de l'Assemblée, l'annonce, et aussitôt quitter Rome pour Reggio.

Une fois leur démission rendue publique, proclamée par la presse, par la une des journaux, les communistes ne pourraient plus user contre eux de la moindre forme de violence.

Je ne pouvais qu'approuver.

— Il se peut que tu nous sois utile.

— Dis-moi comment, je le ferai.

L'histoire des chambres communicantes
et l'increvable pot de yaourt

On était fin janvier 1951, le coup d'éclat était imminent. Deux députés communistes qui osent quitter le Parti, en 1951, Togliatti tout-puissant, les affiliés la tête baissée, ce n'était pas rien.

Turri m'avait interrogé sur ma compagne, Giovanna.

— Elle est sûre, elle ne dira pas un mot, à personne, avais-je assuré.

À présent ils avaient même un secrétaire, en charge, avec son calepin, ce Cicconi que j'ai déjà mentionné, le type aisé de Reggio Emilia, intimement mû par la politique, épris de nouveauté, et dénué de toute peur. Il excellait à recevoir les visiteurs anonymes comme les personnalités, à fixer des horaires dans son calepin, à disposer des rendez-vous, des lieux, comme à s'effacer au bon moment.

Toutes les étapes y étaient même précisées : le matin, être reçus par le président de l'Assemblée, l'aviser de leur démission. Il existait des risques d'incidents, cependant ils ne voulaient aucune protection policière, aucune escorte. Ce serait le président lui-même qui informerait les journaux, la presse, de leur démission. Aussitôt après, sauter dans le train et gagner Florence. Le soir même, Calamandrei, un homme politique florentin connu et estimé, présenterait Turri et Bitossi aux adhérents de son mouvement de socialisme démocratique. Turri et Bitossi expliqueraient de vive voix la raison de leur geste.

Cicconi m'avait averti, moi aussi :

— Tu devrais venir à Florence, il se peut qu'ils aient besoin de toi.

— J'y serai.

— Rendez-vous le lendemain matin, à onze heures, au café des Giubbe Rosse. Tu le connais?

— Très bien. J'y serai.

Je tins promesse. Mieux que ça, Giovanna et moi avons été à Florence la veille. Nous avions l'habitude de descendre à l'hôtel Minerva, comme tant d'autres fois.

Le soir, tandis que nous dînions là-bas dans un restaurant – Turri et Bitossi étaient en discussion avec le groupe politique de Calamandrei –, nous est parvenue des tables voisines une jacasserie nerveuse :

— Deux députés... démission... Comment ça? Du Parti...

La presse s'exaltait. Quelques heures plus tôt, Gronchi, le président de l'Assemblée, avait émis un communiqué. Pour la démocratie chrétienne et ses alliés, un vrai régal.

J'interrogeai le serveur, avec lequel j'étais en rapports familiers.

— Attendez, je vais me renseigner.

Il revint :

— Oui, deux députés communistes, ils ont démissionné de leur parti. La radio vient juste de l'annoncer.

Nous rentrâmes très tôt à l'hôtel. Le lendemain matin, j'avais ce rendez-vous aux Giubbe Rosse, je devais être en forme.

L'hôtel Minerva donne sur une très belle place de Florence. La façade de l'église, de Leon Battista Alberti, est à la fois une dentelle et une envolée, la puissance de l'architecture et l'imagination qui parvient à faire écho au divin.

J'étais agité ; j'avais du mal à trouver le sommeil.

L'occupant de la chambre voisine devait être dans une inquiétude similaire. De temps en temps il se raclait la gorge, avant un petit coup de toux.

Il semblait tenu éveillé par quelque chose qui lui ôtait toute sérénité. Puis, comme toujours, le sommeil, furtivement, s'insinua.

Je me réveillai le lendemain matin; je devais être à onze heures au café des Giubbe Rosse. Je descendis vite dans la rue.

Ponctuel, un Turri presque enjoué parut. Il me raconta comment le président avait écouté leur annonce, leur révolte, d'abord avec stupeur, puis avec un parfait mélange de contentement et de préoccupation.

Le voyage en train vers la Toscane s'était déroulé sans encombre, personne ne s'était intéressé à eux. À Florence, Calamandrei les avait reçus comme des fils qui se seraient bien conduits, en père comblé. Son groupe politique partageait la même orientation qu'eux.

— Ce soir, continua Turri, nous avons prévu de manger à l'hôtel, dans l'une de nos chambres. Mieux vaut ne pas nous exposer avant l'heure, on n'en est pas encore au stade du tollé dans la presse. Quand tout le monde saura, ce sera la diffusion même de notre démission qui nous protégera, il sera plus difficile de nous attaquer. Certains songent sûrement à nous éliminer. Alors, ce soir, dîner à l'hôtel. Ça te va? Tu es invité, Giovanna est avec toi?

— Oui.

— On loge à l'hôtel Minerva. J'ai la chambre n° 22. J'avertirai le portier pour qu'on vous laisse monter.

— Minerva?!

— Oui, piazza Santa Maria Novella. Tu la connais?

— Mais oui.

— Bon, je dois y aller. Calamandrei a de nouveau réuni des journalistes, je n'ai pas beaucoup d'inspiration pour répondre à leurs questions, je ne sais jamais si elles sont énigmatiques, difficiles ou banales.

— Je te comprends.

— À ce soir.

Nous nous saluâmes. Je ne lui avais rien dit : non seulement nous étions nous aussi descendus au Minerva, mais j'avais précisément la chambre 20, contiguë d'une des leurs. J'ai su par la suite que l'homme qui, la veille, peinait comme moi à trouver le sommeil, c'était Bitossi.

Un peu avant vingt heures, Giovanna et moi faisions notre entrée à l'hôtel.

Le hall – nous l'avions compris d'emblée – grouillait de policiers. Certains feignaient de lire le journal ; d'autres, délibérément, s'étaient placés de manière à pouvoir surveiller les allées et venues, à passer chaque client au crible.

En nous donnant notre clé, le portier nous glissa à l'oreille que le député Turri nous attendait chambre 21, et nous fixa d'un air interrogatif. Turri l'avait prévenu que vers vingt heures arriveraient le Dr Alfeo Ottaviani et sa femme, et qu'il devait les prier de monter.

Entre-temps, le portier s'était avisé que ce M. Ottaviani non seulement était à l'hôtel depuis la veille, mais qu'il avait la chambre juste à côté de celle des deux députés. Quelle entente y avait-il entre les Ottaviani et les députés qui, par leur présence, avaient mis l'hôtel sens dessus dessous ?

Derrière lui, dans le petit bureau de la direction, on s'agaçait de tous ces policiers qui avaient investi l'hôtel et qui ne se gênaient pas pour fouiller partout, jusque sous les escaliers.

Le gouvernement démocrate-chrétien entendait prouver par là que tout le monde pouvait quitter le Parti communiste, que tout citoyen était libre d'abandonner les Rouges, sans risque.

Nous regagnâmes notre chambre n° 20.

Nous parvint de l'autre côté de la cloison, depuis la 21, un remue-ménage : probablement les serveurs qui préparaient le dîner, les verres tintaient, des bruits de vaisselle et de chaises déplacées.

Les deux chambres avaient une porte de communication.

Ils avaient choisi de dîner dans la chambre de Bitossi parce qu'elle était plus spacieuse.

À table, avec l'infaillible secrétaire Cicconi, nous serions cinq.

Je guettai le moment où, de l'autre côté, de la 21, cesseraient les bruits, quand tout serait installé ; on nous attendait pour commencer. Je perçus le chuchotement des différentes voix amies, aussi frappai-je à la porte communicante.

Ce n'était pas de cette porte qu'ils attendaient notre entrée.

Comme d'habitude, Turri était sur ses gardes. Dans le silence, il demanda d'une voix ferme :

— Qui est-ce ?

Peut-être un de leurs ennemis, qui se serait introduit dans la chambre voisine.

Je répondis aussitôt :

— Alfeo, Ottaviani !

Il ouvrit. Son visage demandait : comment se fait-il, de ce côté ?

J'expliquai que, chaque fois que nous venions à Florence, nous descendions au Minerva ; le hasard avait voulu qu'on nous attribue des chambres contiguës.

Nous en rîmes comme d'un signe de bon augure, une innocente facétie du hasard.

La table était mise. La paix régnait, entre amis. Il était amusant de voir Cicconi à l'œuvre, à quel point le secrétaire s'était investi dans sa mission, conscient de son rôle.

Turri me raconta qu'ils étaient restés pratiquement tout l'après-midi avec Calamandrei, le célèbre juriste ; une meute de journalistes les avaient interrogés, tour à tour.

Ce brave Cicconi, le secrétaire ! Il avait réglé toutes les entrevues, en modulant la durée selon l'importance du journal et la sympathie que tel ou tel quotidien pouvait montrer à l'égard des démissionnaires.

La presse était à présent en effervescence. Tandis que nous entrions à l'hôtel, nous avions aperçu, à un kiosque voisin, une *civetta*, cette affichette qu'on accroche à l'extérieur pour indiquer les nouvelles explosives ; on y lisait, imprimé en gros caractères : TURRI ET BITOSSI.

Turri et Bitossi, et en dessous la nouvelle de leur départ du Parti communiste.

Ils avaient bien fait de décider de dîner à l'hôtel. Dans un restaurant ordinaire, on aurait fini tôt ou tard par les repérer, les photos circulaient déjà, les ennuis auraient commencé. On les aurait très certainement reconnus, Bitossi avec son visage particulier, de rêveur, ses lunettes, l'expression pleine de tristesse, tournée vers les humbles, ce visage tant adoré lors des meetings.

Une belle soirée, qui se prolongea tard, tous les cinq joyeux, la conscience propre, le devoir accompli, pour le reste : advienne que pourra. Tous nos souvenirs resurgissaient.

Mystérieusement, notre grand ami, Campi, le martyr, avait pris place parmi nous.

Il nous était apparu beau, vivant, jeune, et avait dit : « Ils nous ligotent, ils nous ligotent tous ! » et cette fois, cependant – la mort l'ayant enfin libéré de ses angoisses –, après ses paroles, il avait eu un de ses superbes éclats de rire, retentissants, sarcastiques.

Turri et moi, nous avions vraiment cru le voir, l'entendre. Après nous l'être avoué, nous continuâmes à converser avec notre ami comme s'il était là.

À un moment donné, le rigoureux Cicconi, secrétaire de la bande, se leva, me fit signe, il avait son calepin à la main.

— Écoute-moi.

— Vas-y.

— Demain matin, on aura peut-être besoin de toi. Tu as une voiture ?

— Oui, toute petite, une Topolino.

— On tient, à quatre ?

— On est un peu serrés.

— La police voudrait conduire elle-même Turri et Bitossi à Reggio. C'est hors de question. Personne ne doit pouvoir dire qu'ils bénéficient d'une telle protection. C'est toi qui dois les y emmener.

— D'accord. J'espère que mon pot de yaourt tiendra le coup.

— On sera certainement escortés. Tu penses ! C'est hors de question. On pourrait utiliser le train, mais c'est dangereux, on serait soumis aux horaires. Non, c'est toi qui dois nous emmener.

— Mais oui. On part à quelle heure ?

— Tôt demain matin.

— Alors : au lit !

— En effet. Il est tard.

— Demain matin, appelle-moi très tôt.

— Tu peux y compter.

La Topolino nous emmène à Reggio Emilia

Je les conduisis à Reggio Emilia. Ils ne devaient pas apparaître sous escorte policière, mais libres, seuls. Un vieil ami les accompagnait. Mon antique pot de yaourt avait déjà servi durant la Résistance, il était allé prendre le représentant du Parti à Lucques, puis avait continué, continué.

Eh bien, ce jour-là encore, il montra toute sa valeur.

Moi au volant, Cicconi à côté. À l'arrière, les deux transfuges, recroquevillés dans l'espace exigu.

Le départ eut lieu vers onze heures du matin. On était en janvier, mais c'était une belle journée. J'embrassai Giovanna ; nous avions prévu de passer plusieurs jours ensemble à Lucques. Elle dut rentrer seule à Rome, où elle vivait à l'époque.

Les voitures de la police devant, et derrière ma Topolino. Ils craignaient un attentat, que les communistes veuillent donner une leçon, châtier durement ces deux traîtres à la classe ouvrière.

Sur le conseil de Turri, j'empruntai des routes peu fréquentées, je me trompai même de chemin et nous fis faire un détour, mais sans provoquer de nervosité.

J'éprouvais même un début d'amusement, de temps en temps j'apercevais un policier soucieux, le visage crispé. Ce fut un long voyage, mais nous arrivâmes à Reggio.

On imagine mal à quel point Bitossi était aimé dans cette ville, aimé et admiré ; même ses adversaires, les membres des partis adverses, reconnaissaient son honnêteté, sa chaleur humaine et, avant tout, mesuraient sa capacité à fasciner le peuple. Lors des meetings, il n'usait d'aucune rancœur, il n'incitait pas à la haine, à la vengeance. Il décrivait plutôt la lumière qui baignerait le monde lorsque le socialisme à visage humain se répandrait sur terre, tel un fleuve en crue n'apportant ni inondations ni dévastations, mais déversant depuis ses berges une lymphe sur laquelle bientôt germeraient et croîtraient fleurs et fruits.

À notre arrivée à Reggio – qui a toujours été disposée à la virulence politique –, un bruissement aigu s'éleva, une houle de voix, des exclamations, une envie d'arracher des explications, comment Bitossi en était-il venu à démissionner, lui, le secrétaire fédéral du Parti.

Quelle effervescence dans la petite ville !

Notre infaillible secrétaire, Cicconi, m'avait logé dans la maison d'un de ses amis ; Turri et Bitossi avaient été fiévreusement réclamés pour participer à une réunion, en présence des sympathisants, des adversaires, des curieux.

Mes hôtes, entre-temps, et d'autres gens qui affluaient, me pressaient de questions.

Un professeur de philosophie m'impressionna encore davantage, j'avais fait sa connaissance quelques années auparavant, lorsque Turri m'avait emmené à Reggio. Il vint à ma rencontre dans le couloir de la maison et, pâle, très affecté, le visage marqué par la déception, il soupira, murmurant toutefois distinctement :

— Pourquoi, mais pourquoi diable ne m'ont-ils rien dit ? Pourquoi n'ont-ils pas eu confiance en moi, après toutes ces années d'amitié ? Ah ! Pourquoi ? Pourquoi ?

J'essayai de lui expliquer qu'une telle affaire exigeait le secret, sinon, allez savoir quelles infamies, quelles ignominies le Parti aurait tenté de répandre, de jeter sur ces démissions.

Mais le professeur de philosophie serinait sans m'entendre :

— Pourquoi, pourquoi ne m'ont-ils rien dit ?

Brusquement, il tourna les talons et sortit, certainement pour aller à la recherche de Turri et de Bitossi et leur répéter de vive voix son interrogation angoissée.

Le soir approchait, mes hôtes m'invitèrent à dîner. Des voisins arrivèrent, maris et femmes. Celles-ci plus combatives que les hommes, plus pugnaces, presque à rechercher l'affrontement, n'incitant jamais leurs maris à la modération ; elles les excitaient, bien plutôt.

Combien, en Italie, une région diffère d'une autre ! J'avais en tête l'image d'une Toscane si disposée à la critique, au scepticisme, des citoyens avares de leurs sentiments et qui souvent en simulaient d'autres très différents de ceux qu'ils renfermaient, héritage d'une histoire tissée de défiances, de calculs, de peurs.

Dans la nuit, je fus saisi par le froid ; j'enfilai un pull qu'on m'avait proposé, une vraie providence ; je découvris alors pour la première fois la laine dont il était fait, du cachemire.

Le lendemain matin, je repartis pour Lucques. Surprise : mon pot de yaourt, qui s'était si bien comporté, avait eu l'honneur d'être fouillé de fond en comble, percé même avec des épingles. Allez savoir ce qu'on s'imaginait y découvrir ! Le sous-commissaire, alors que je m'apprêtais à monter, me mit sous les yeux un pistolet. Il l'avait trouvé dans le véhicule :

— Dans un cas pareil, c'est bien que vous en ayez eu un !

J'examinai l'arme :

— Ce n'est pas le mien. Je crois qu'il appartient à Turri, au député ; il me semble le lui avoir vu dans sa chambre d'hôtel, à Florence.

Le sous-commissaire sembla déçu que je n'en sois pas le détenteur.

Ils ne me laissèrent pas repartir seul.

— On doit vous escorter.

— Comme vous voudrez.

Une voiture me suivit. Sur les hauteurs de Pistoia, je connaissais un bon restaurant ; je fis signe à mon accompagnateur.

On déjeuna ensemble, on trinqua même. On parlait de tout, sauf de politique, c'est tout juste si on ne devint pas de bons amis.

Au moment de remonter dans nos véhicules, moi dans le mien, lui dans celui destiné à mon escorte, je lui dis :

— Inutile de m'accompagner. Il n'y a vraiment rien à craindre. Vous avez vu ? Personne ne nous a reconnus. Qui voulez-vous qui s'intéresse à moi ?

— Merci, docteur. Ma femme m'attend.

— Au revoir. Ça m'a fait plaisir de vous connaître.

Je repris la route. Sous les remparts de Lucques. Puis sur la grand-route de Sant'Anna, jusqu'à mon hôpital, planté parmi les arbres.

Je m'arrêtai chez le portier ; ce jour-là, c'était D'Arrigo, un homme au jugement serein exemplaire, jamais un mot pour ne rien dire.

Je lui demandai :

— Y a-t-il du nouveau ?

Il était au courant de l'affaire Turri et Bitossi, et de ma compromission. Il réfléchit, avant de répondre paisiblement :

— Rien du tout.

Je regagnai ma petite pièce.

Je parcourus vite fait le journal qu'on me montait chaque matin avec le courrier, mais la tête ailleurs. Je songeais aux heures à peine vécues, me revenait l'atmosphère tendue des rues de Reggio Emilia.

Comment avait dit le sous-commissaire ?

« Dans un cas pareil, c'est bien que vous en ayez eu un ! »

Il faisait allusion au pistolet.

« Il a raison », me dis-je.

Je me levai. J'en possédais un, de pistolet, à barillet, un héritage de mon père.

Il était dans un tiroir du bureau, fermé à clé.

J'allai le chercher. Il était chargé, six coups. J'avais aussi en réserve deux petites sacoches en cuir pleines de cartouches.

Il avait raison, le sous-commissaire de Reggio Emilia. Je le posai sur ma table de nuit, à portée de la main.

Remous à Viareggio

À Lucques, le quasi-silence autour de moi. Dans les journaux, un quasi-tollé sur Turri et Bitossi. Tous les deux, là-bas à Reggio, avais-je appris, étaient comme assiégés, le Parti ne voulait pas qu'ils puissent communiquer avec le peuple.

Les adversaires des communistes mettaient ces démissions à profit pour semer la perplexité, le doute parmi les Rouges, ils essayaient d'exploiter la situation.

Togliatti était alors à Moscou. En montant dans le train pour l'Italie, interrogé sur ces démissions, il avait prononcé une phrase d'une brillante ruse politique :

— Même un pur-sang peut avoir deux poux dans sa crinière.

Le pur-sang était bien entendu le Parti communiste.

La phrase avait figuré dans tous les journaux et avait beaucoup servi à tous ces camarades au raisonnement court, lorsqu'ils se trouvaient confrontés à des adversaires habiles et avisés.

J'avais repris pour ma part ma vie à l'hôpital psychiatrique ; si j'avais participé à la démarche de Turri, c'était avant tout au nom de l'amitié fraternelle qui nous liait. La ferveur politique m'était passée depuis plusieurs mois, à présent les démagogies retorses et les épithètes rhétoriques m'ennuyaient, j'avais en horreur tous les orateurs, je reconnaissais la tête basse qu'on ne peut pas changer les hommes et je m'étonnais vraiment d'avoir fréquenté, à une époque, cette utopie confusément appelée marxisme, venue de l'Est.

Comme par le passé, tous les quatre ou cinq jours je me rendais à Viareggio. J'arrivais avec ma bonne vieille Topolino via Venti Settembre, je grattais au volet de l'atelier du peintre Marcucci, qui m'ouvrait, ayant déjà posé ses pinceaux.

Nous cultivions cette amitié de longue date, nous comprenant sans avoir à parler, tous deux nés à Viareggio, la même année, nos maisons étaient voisines, nous savions presque tout de notre ville.

Lui s'était consacré à la peinture, moi, plus secrètement, à l'écriture.

Naturellement, Marcucci était au courant de l'affaire Turri-Bitossi, il l'avait lue dans les journaux et il savait à quel point j'étais lié à Turri, que c'était moi, avec mon pot de yaourt, qui avais conduit les deux démissionnaires. J'avais déjà confié à Marcucci, par le passé, quelques petits secrets.

Viareggio avait une réputation d'anarcho-communiste, et l'histoire de ma contribution aux démissions de Turri et de Bitossi n'avait vraiment pas plu. J'étais regardé comme un traître, même si je n'avais jamais été membre du Parti. Il était connu que j'avais participé à la Résistance, et précisément avec les Viareggiens, tous d'extrême gauche.

Ayant posé ses pinceaux et sa casaque, Marcucci était prêt à m'accompagner dehors.

D'ordinaire, avant d'aller dîner dans quelque bistrot, nous nous baladions dans notre ville.

D'emblée, à peine dehors, Marcucci aborda le point sensible.

— Cette histoire commence à te peser, n'est-ce pas?

— Oui, avouai-je. J'ai aidé Turri au nom de notre passé, qui nous lie tellement, mais aussi pour l'admiration que je lui porte, lui seul a osé déclarer publiquement son hostilité au Parti communiste russe, son refus de lui obéir, en soumis, en esclave. L'Italie doit se battre pour un socialisme italien, libre, le fruit de nos entrailles. Mais pour ce qui me concerne, la pratique politique à présent me dégoûte, me bourdonne aux oreilles comme une nuée de moucherons autour de la tête, je me sens bien éloigné de la politique, c'est un rêve qui s'est dissipé, comme tous les rêves.

Marcucci, dans ses dessins, dans ses aquarelles, avec ses toiles, chantait la plage de Viareggio, la mer, les pinèdes, les maisons de marins, de petites maisons colorées d'un jaune qui s'estompe, d'un rose qui donne un dernier adieu. C'était de la poésie. Elle seule me consolait.

Nous avions emprunté le viale Margherita, qui longeait la mer, la plage; l'après-midi était radieux, comme s'il devait durer éternellement. La Versilia a devant elle la mer bleu ciel, derrière, les montagnes immobiles.

Nous marchions paisiblement le long de la promenade, et voici que nous rejoignirent quatre vieux amis. J'en citerai seulement les initiales, en espérant qu'ils auront oublié : P., M., V., B.

Sur la promenade, peu de passants, très clairsemés; la saison touristique encore lointaine.

L'incident a eu lieu à la hauteur du café Margherita. Dans l'avenue parallèle se trouvait une station d'essence, avec sa pompe, et le pompiste. À côté de lui, quelqu'un d'autre.

Nous nous étions arrêtés, un tout petit groupe. Avec Marcucci, nous étions six.

D'un pas énergique, celui qui se tenait l'instant précédent auprès du pompiste s'avança vers nous, vers moi. Jusque-là il s'était entretenu avec le pompiste, devant sa pompe, et il me désignait, d'un bras déterminé. Je compris qu'il était en colère contre moi, furieux, à cause de l'histoire Turri-Bitossi, il devait s'agir d'un camarade. Voilà qu'il fondait sur moi, l'air agressif.

Je m'écartai de mes amis pour aller lentement à sa rencontre et j'attendis.

Je ne le connaissais pas, je ne l'avais jamais vu durant la Résistance.

Il s'approcha encore, mais quand il fut tout près, comme je m'en doutai, il se ravisa, il eut comme une déviation intérieure, comme s'il se trompait de direction, de décision. Il s'arrêta, il hésita, puis, tournant les talons, il rebroussa chemin.

Je restai là à guetter une suite.

L'homme, plus très jeune, la trentaine passée, retourna au poste d'essence.

Il me sembla apercevoir le pompiste se gausser de lui, comme s'il lui disait : « Fort en gueule, mais... »

Je ne voulais pas attiser, en aucune façon provoquer.

Je me retournai vers mon petit comité d'amis, résolu à me comporter comme si rien n'était advenu. Mais quoi !

Ils avaient disparu. Seul Marcucci demeurait. Les quatre autres : envolés, ils avaient filé à l'anglaise, plus exactement : ils avaient pris la fuite.

Voilà l'exemple éclatant de la façon dont, à l'époque – on était en 1951 –, bien peu, personne ne voulait s'engager, prendre part, faire front, exprimer ses idées. Ces quatre-là penchaient peut-être pour moi en secret, mais ils n'osaient pas défier le très discipliné Parti communiste.

Dès qu'ils avaient compris que dans cette situation, s'ils étaient restés, ils se seraient compromis en quelque manière, ils avaient détalé. Au point de refuser même d'être de simples spectateurs neutres, rien, envolés.

En 1951, beaucoup recherchaient l'anonymat, n'avoir aucune image politique.

Nos quatre amis avaient bien compris l'intention de celui qui s'approchait, de m'agresser, de me punir pour avoir collaboré avec Turri et Bitossi.

Je constatai avec surprise leur défection.

Marcucci, lui seul, était resté.

Tous deux, nous reprîmes en silence notre promenade.

— On va au bistrot de l'autre soir ?

— Mais oui !

Il n'y eut pas d'autre commentaire jusqu'à notre entrée dans le restaurant. Ce n'est qu'après nous être installés et avoir commandé nos plats, que Marcucci se mit à raconter :

— À côté de chez moi, il y a un bistrot. Tu as dû le voir.

— Oui.

— Hier après-midi, j'entre boire un verre. Accoudé au comptoir, je le sirote. Presque toutes les tables étaient occupées. Brusquement, un type s'est levé et s'est mis à indiquer celui-ci, celui-là, un troisième. Je le connaissais, on m'avait dit qu'il s'agissait d'un chef de cellule, un de ces allumés, un camarade orthodoxe. Il montrait du doigt précisément, c'est comme s'il disait : toi, toi, vous deux, allez, en vitesse.

» Les types désignés aussitôt se lèvent et le suivent dans une arrière-salle.

» C'était une réunion de cellule improvisée, il m'est arrivé d'assister à ces réunions péremptoires. Les clients doivent être presque tous communistes, et du reste je sais que le patron lui aussi est un adhérent.

» Je sors et regagne mon atelier, j'attendais un Florentin, je l'aperçois déjà devant mon volet, en train de patienter. Il vient de temps en temps voir mes tableaux, parfois il m'en achète.

» Après lui avoir montré mes dernières œuvres, je lui propose : « Je vous paierais bien le coup, mais je n'ai rien à la maison. On pourrait aller au bistrot, juste à côté. »

» Nous entrons. La réunion de cellule est finie, ils sortent de l'arrière-salle. Et voilà qu'ils me lancent de sales œillades, va savoir pourquoi.

» Le cafetier, que je connais de longue date, s'approche et m'explique. Cette réunion de cellule se tenait à propos de Turri et Bitossi, contre eux, et même à mon sujet. Il ajoute : « Ton copain, le Dr Ottaviani, a reçu du pognon des Yougoslaves, c'est un vendu, un traître, tu devrais arrêter de le fréquenter, ça n'a jamais été un type clair. »

Marcucci écouta le patron et sourit patiemment; il mesurait combien le chef de cellule avait déversé dans ces cerveaux la dose exacte de poison qui lui avait été réservée.

Je le répète, nous étions en 1951, précisément début février 1951, l'écho de la guerre résonnait encore, le communisme avait un parfum de vengeance, le capitalisme était synonyme d'ennemi impitoyable des pauvres, des ouvriers, du peuple, autant de fanatismes obscurs qui prennent facilement racine lorsque l'ignorance politique est souveraine. Et puis ce poison, comme sous la récente Dictature, le goût pour l'obéissance, les mêmes phrases sans cesse serinées, la cellule qui domine et menace, aucune critique possible, la peur du Parti communiste, partout, les ordres exécutés sans discuter, la doctrine répétée aveuglément. Staline, grand et invincible, implacable monument, guide suprême du prolétariat international.

Marcucci me raconta ainsi que j'étais haï par le peuple, un traître, un vendu, stipendié par les Yougoslaves, travaillant pour les exploiteurs.

Nous étions dans un bistrot que nous fréquentions depuis l'époque du fascisme.

Très vite la conversation n'a plus tourné qu'autour de poètes et de peintres.

Turri attaqué

Turri, deux jours après, quitta Reggio Emilia pour retourner chez lui, à Bologne, via Cà Selvatica, dans cet appartement qui m'avait accueilli.

Une rue courte, sans arcades, au coin se tenait un bistrot : juste un comptoir, aucune table, que des gens du peuple ; tant de fois j'en avais vu sortir des hommes d'un certain âge, le teint violacé.

Il me téléphona, j'arrivai le lendemain, je montai l'escalier. Je m'étais vite aperçu de l'état de siège.

Aux deux extrémités de la courte rue se tenaient des petits groupes de camarades qui surveillaient son domicile. Il fallait asphyxier l'ennemi.

Je trouvai Turri et sa femme tendus, pâles. On leur menait la vie dure. Eux-mêmes – ainsi que leurs amis – ne pouvaient pas passer la porte sans se voir aussitôt vaguement exposés à l'opprobre publique, des insultes du bout des lèvres, des œillades de haine, des moues de mépris, ils étaient approchés, frôlés. Les camarades semblaient avoir reçu l'ordre de ne pas franchir certaines limites.

Ce foyer de rébellion, de trahison implanté via Cà Selvatica ne devait pas s'étendre, mais au contraire être étouffé. Et l'on regrettait de ne pouvoir l'éteindre par la violence.

Les fils de Turri, l'un de quatorze ans, l'autre de onze, étaient quant à eux ravis, ils ne s'étaient jamais autant amusés à ouvrir et à fermer la porte à des visiteurs inattendus, au visage souvent soucieux, renfrogné, bref, à accueillir les affiliés du mouvement Turri-Bitossi, qui s'était bientôt formé.

En vérité, Turri et Bitossi n'étaient aucunement seuls, même si l'époque n'était pas encore mûre pour leur pensée. Et puis, à Bologne, la réputation de Turri voletait encore, sa valeur, son honnêteté. Et ceux qui avaient combattu à ses côtés se rappelaient trop bien ses talents de commandant, devinant les mouvements ennemis, clairvoyant et stratège, le premier engagé dans l'attaque ! Ceux-là ne se laissaient vraiment pas contraindre par les dispositions des permanents de la fédération communiste, par leurs mots d'ordre obliques contre Turri, l'habitant du 2 de la via Cà Selvatica.

Le siège durait vingt-quatre heures, au terme desquelles les camarades tournaient, tels des agents en civil, ils exécutaient leur mission avec zèle, hargneux, scrupuleux. Ils cherchaient à s'informer sur ceux qui gardaient contact avec lui, sur ceux qui osaient lui rendre visite, comme s'ils entendaient mesurer le degré de sympathie conservée à Turri.

Lorsque Irene, sa femme, allait faire ses courses, ils la suivaient, l'un d'eux entrait dans le magasin d'où elle sortait et entreprenait son office, lançait des allusions, cette ennemie des travailleurs, comme son mari, des traîtres, on ne devait pas leur faire confiance. Ils menaçaient à mots couverts le commerçant, qui regimbait ou non, selon son caractère.

Les voisins eux aussi, lassés par ce dispositif, commencèrent à regarder les époux Turri de travers.

Je donnerai un exemple personnel. Chaque fois que j'allais à Bologne, je ne manquais jamais de rendre une petite visite à mon vieil ami Giuseppe Raimondi, un écrivain, mais également fumiste : il avait son magasin piazza Santo Stefano.

Un jour, j'entrai dans sa boutique et le saluai joyeusement, je le connaissais depuis l'époque où j'étudiais à l'université.

Naturellement, il me parla du bruit, du tollé, de ces commentaires infinis sur la démission du Parti du fameux Iacopo, d'Aldo Turri.

Alors que je m'apprêtais à repartir pour Lucques, j'entrai de nouveau dans son cher petit magasin, pour le saluer une dernière fois.

Aussitôt, il m'avertit :

— Depuis que tu es venu la première fois, j'ai constamment deux types devant la porte, ils dévisagent qui entre et qui sort, et ils se remplacent… et même, a continué mon vieil ami, l'air soucieux, … et même, ils pourraient te tuer, si…

En toute logique politique, tuer Turri aurait fait trop de vagues et nui au Parti communiste; une bonne leçon à son fidèle ami Ottaviani était bien plus envisageable.

Ils ne recherchaient pas la politique.
Ils ont dit leur âme.

Ne demandez pas aux héros et aux rêveurs de se transformer en tribuns et en politiciens

Ce siège grossier, quotidien, en bas de l'immeuble, ne relevait pas d'une manœuvre subtile du Parti communiste, il s'était produit de lui-même : chaque couche de la vie publique italienne abritait une eau dormante; il n'y avait là aucune vigueur, aucune rébellion, aucune envie d'avancer, de changer, d'être des hommes.

Un demi-sommeil s'était emparé du pays tout entier; ce siège que les communistes locaux avaient établi autour de Turri et de Bitossi était tout ce dont ils étaient capables.

Turri et Bitossi suggéraient juste un socialisme à l'italienne, indépendant du socialisme de l'Est, et ils voulaient révéler, dénoncer la détermination de Staline et de ses hommes à étouffer, à annihiler cette mystérieuse et indéfinissable humanité qui anime les Italiens, une sorte de génie et de simplicité, un peuple qui ne perd jamais ce qu'on peut appeler génériquement bonté, à savoir la conscience que nous sommes tous d'humbles hommes, même si, parfois, quelque artiste nous fait croire que nous tenons des dieux.

Le fait d'avoir transformé leurs domiciles en de véritables camps retranchés, de vivre, heure après heure, jour après jour, dans ce cercle défensif impossible à briser, avait insinué dans l'esprit des deux amis un sentiment de solitude profonde, ainsi donc l'Italie n'avait pas envie d'écouter leur voix, de se compromettre avec eux d'aucune façon.

C'est cette monotone et triste réalité qui leur coupa les ailes, les empêcha d'avoir un sursaut, de pousser un cri.

Oui c'est cela, ils n'auraient pas dû tarder, perdre tant de jours.

Au contraire, sauter dans le premier train pour Rome, entrer dans la Chambre des députés, se dresser, s'imposer, taper du poing sur le banc, réclamer la parole. Dénoncer aussitôt ces quarante-là débarqués de Russie et qui dominaient de fait, sur ordre de Staline, la politique nationale, donner leurs noms, révéler leurs méfaits, hurler, tempêter, en appeler à un socialisme à l'italienne, simple, attrayant, à la portée de tous les citoyens.

Une fois debout à la tribune de l'Assemblée, ils auraient dû énoncer la vérité fondamentale : combien ils avaient souffert, quelle force il avait fallu mobiliser pour quitter le Parti. Ce Parti communiste pour lequel ils avaient lutté vaillamment, pour lequel nombre de leurs amis étaient morts, pour lequel nombre de leurs camarades, voulant rester fidèles, avaient subi les pires tortures des Allemands et des fascistes, comme notre ami Campi.

Pourquoi n'ont-ils rien fait ?

Par manque de courage ?

Non, Turri au moins en avait montré à foison, Bitossi tout autant.

Il aurait fallu en l'occurrence des tribuns. C'est tout ce qui leur manquait, être des tribuns, un seul talent, mais parfois providentiel.

Or, tribuns, ils ne l'étaient pas. Turri était un théoricien, il s'était dévoué aux idées du Parti, pendant des mois il avait formé des camarades.

Dotés d'une imagination trop honnête, ils pensaient que leur proposition d'un socialisme italien tomberait à plat, dans pareil climat. Les dirigeants communistes auraient facilement rétorqué : le socialisme italien, c'est nous qui le construisons, nous qui combattons pour lui. Vous, vous n'êtes que des traîtres.

Bitossi, qui enthousiasmait les foules lors des meetings, avait-il perdu la parole ?

Mais quoi, que s'était-il passé ? Après tout ce travail secret qu'ils avaient accompli, ne tenteraient-ils pas à présent d'en recueillir au moins un fruit? Demeureraient-ils dans l'impasse, dénués d'inspiration politique, de cran, d'arrogance, incapables de manifester le moindre mépris, la moindre haine, s'interdisant de maudire les quarante de l'hôtel Lux, qui avaient envoyé tant de camarades à la potence ou dans les glaces de Sibérie?

En vérité, l'époque n'était pas mûre, une triste réalité les étouffait chaque jour un peu plus.

Il fallait patienter vingt ou trente ans encore, comme cela se vérifia.

Et cette autre vérité : il est très difficile de passer d'une période héroïque à une autre où dominent la dialectique, les phrases étudiées, l'art de brasser dans l'esprit des auditeurs des idées qui déjà y couvent.

Il est très difficile pour un héros de se muer tranquillement en fourrier.

Chaque époque a sa teinte, qu'on ne change pas comme cela. Napoléon, par exemple, si tant d'événements ne l'avaient accablé, n'aurait peut-être pas parlé à ses soldats devant les Pyramides.

C'est ainsi. Ils n'avaient pas les qualités nécessaires au bon moment. Je continuai pour ma part à leur offrir mon amitié, naturellement à Turri; Bitossi s'était seulement rangé à nos côtés.

Les amis, c'étaient nous trois, les vrais amis, fraternels : Turri, Campi et moi. Pour nous, Campi n'était pas mort, il était parmi nous, exprimant ses peurs qui à présent volaient, mystérieuses, prédicatrices, tels ces oracles grecs qui devinent l'avenir dans les entrailles ou dans allez savoir quoi.

Bitossi s'était rangé aux côtés de Turri; le connaissant peu, je m'étais contenté de l'intégrer.

De fait, il s'évanouit bientôt dans la nature, partit vivre loin, quittant définitivement Reggio Emilia pour un village du Sud, je crois, où sa femme avait quelque bien. Et puis, les années ayant passé, on apprit sa réinscription au Parti, accueilli de nouveau par les vieux camarades qui lui avaient donné un poste dans je ne sais quel genre de coopérative.

Turri et moi, nous ne changions pas. Entre nous, rien n'avait changé; avec Campi. Nous trois.

Je dois redire que, durant ces années – 1950-1951 –, ceux qui avaient participé à la Résistance étaient comme soudés aux autres frères qui y avaient pris part. Difficile de décrire les liens indéfectibles qui s'étaient tissés, pour beaucoup, résister c'était aussi se libérer de ses besoins sociaux, s'affranchir, s'éloigner de la misère. Pour tous ceux qui étaient morts pour cette idée, une masse énorme de sentiments, de pensées se cachait derrière le mot communisme. Se détacher du Parti, c'était comme renier officiellement les idéaux qui avaient si longtemps coloré le cœur de rouge.

Les dirigeants communistes, les véritables, habitués à la grisaille, aux longs silences du Kremlin, adoptèrent spontanément la pratique habituelle : ils donnèrent l'ordre aux cellules de jeter l'opprobre sur Turri et Bitossi ; quant à eux, ils ignorèrent officiellement ces deux-là, Turri en particulier, Médaille d'or, encore récemment adoré d'une grande partie de Bologne.

La semence jetée par Turri et Bitossi trouva un terrain stérile. Plus personne, plus un seul homme, dans une cellule, pour se dresser et pour se demander si, par hasard, ces deux-là avaient quelque raison de quitter le Parti.

Les rares qui, disséminés dans toute l'Italie, suivirent spontanément Turri et Bitossi étaient des âmes simples, parfois même romantiques.

Les politiques, cernés par le vide, se trouvent désarmés ; un tribun, sans foule, inutile lance ses paroles tempétueuses à l'abîme.

Par la suite, Turri m'a raconté plus en détail ces premiers jours lorsqu'ils sont rentrés à la Chambre des députés, il m'a relaté des épisodes très semblables les uns aux autres. Par exemple, engagé dans un ascenseur en même temps qu'un chef bien connu du Parti, ils montaient ensemble. Le notable ne prononce pas un mot, il ne connaît pas Turri, ne sait rien à son sujet.

Au Parlement aussi, des réactions quasi inexistantes, quelque regard en coin, à la dérobée, allez savoir s'il s'agit de curiosité, de mépris, de secrète admiration. On peut pourtant bien imaginer que parmi les camarades députés, même si c'est dans le tréfonds de leur cerveau, certains avaient, au moins une fois, un instant durant, rêvé d'agir comme Turri et Bitossi – au moins une fois, crier que ces méthodes tristement coutumières au sein du Parti étaient d'une livide facture stalinienne, jurant si atrocement avec notre verte patrie ensoleillée.

En silence, peu à peu

Pour moi c'est facile, ma plume court, je ressasse l'histoire, les anecdotes, les événements auxquels nous prîmes part avec mes deux amis, Turri et Campi, nous trois. Je m'attarde sur les petites flammes qui nous ont éblouis, ont prolongé notre jeunesse.

Cependant, je tais certains détails, je n'ai pas envie de les révéler, de m'y arrêter, de les éclairer. Que puis-je y faire? Certaines questions roulent sous la table, la plume se dessèche.

Me voilà à converser peut-être pour la dernière fois avec mes deux amis, Turri et Campi; je n'écris pas un livre, un roman, une histoire, je les rappelle seulement près de moi, morts ou pas. C'est tout.

Tenez, la période qui a suivi la démission, après le premier tollé, je l'ai presque oubliée.

Je restai pourtant solidaire de Turri, comme d'habitude, notre amitié intacte, nos visites toujours réciproques; nous ne parlions pratiquement plus de politique, voilà tout.

De nouveau, je remarquai son extraordinaire capacité à se consacrer exclusivement au travail. Quel temps perdu de s'être jeté dans l'arène politique, dans la guerre civile, difficile pour lui de rattraper ce temps gâché pour sa médecine légale. Il reprit toutefois les études, inlassablement, il se replongea dans la recherche scientifique.

J'assistai à son nouveau combat. Il éleva un mur contre son passé, il redevint presque exclusivement médecin, et ses infatigables travaux quotidiens lui permirent de mieux refaire surface. Le devoir des héros est de mourir ; Turri entama l'existence d'un homme ordinaire, très éloigné, très différent de sa précédente incarnation.

Il travaillait avec le sourire, sans souffrir d'aucune fatigue, comme lorsqu'il était partisan, ou qu'il commandait le Septième GAP : le premier à monter en voiture, le dernier à descendre.

Cependant, lorsqu'il m'arrivait de l'interroger sur les problèmes politiques du temps, italiens ou étrangers, il répondait comme autrefois, en chef, avisé, calculateur. Ses prévisions alors se vérifiaient. Et son jugement sur les hommes, quel que fût le champ où ils militaient, demeurait précis et serein.

Il était encore attentif, comme s'il dirigeait un vrai parti, et non comme s'il se consacrait à la seule médecine légale, aux expertises et contre-expertises.

Toutefois, il ne se laissait pas aller à sa qualité, à ce jugement impeccable. Désormais, il se comportait comme un citoyen quelconque, qui répond par politesse, qui donne son avis, sans plus.

Il ne devait plus être qu'un médecin, dans son rôle, celui de médecin légiste. Le passé n'était qu'un souvenir, tantôt agréable, tantôt tragique, mais toujours tenant de la fable qu'on raconte à l'enfant que chacun porte en lui.

Un jour, un nouvel épisode me laissa stupéfait : la démission du Parti datait de plusieurs années déjà. Il m'échut de parler avec un juge important du tribunal de Bologne, lequel recourait régulièrement aux services de Turri pour les expertises psychiatriques, un Turri qu'il tenait en grande estime.

Je sondai le terrain, pour voir s'il connaissait son passé de partisan.

Rien, absolument rien. Il dit seulement :

— C'est un professionnel très sérieux.

Je me suis souvent demandé si Turri avait souffert de cette descente dans l'anonymat : très peu, je pense. Il était le reflet de la réalité, de celle qui lui était adaptée, contraire ou favorable, mais qui lui convenait. Si la condition manquait, si la situation n'était pas propice, il ne s'enflammait pas.

C'était un politique profond, s'il n'y avait pas de chiffres à additionner, soustraire, multiplier, s'il n'y avait pas un terrain favorable à son action, il ne descendait pas dans l'arène. Il se contentait juste de reprendre la route, le pauvre chemin de la médecine légale.

De plus, sa carrière de médecin légiste se heurtait à un obstacle : chaque fois que s'ouvrait un concours pour une chaire, afin d'enseigner, ses concurrents ressortaient son passé de partisan violent, une donnée défavorable pour un auguste professeur de l'Université italienne.

Les années passèrent. Sa femme toujours près de lui, attentionnée. Ses fils grandissant en suivant l'exemple de leur père, travailleurs. La sévérité régnait à la maison.

Nous avons continué à nous voir, mais non plus avec le rythme fidèle d'autrefois, la vieillesse imminente ralentissait nos déplacements, réduisait nos chers dialogues. Le téléphone nous satisfaisait bien peu.

Je savais qu'il s'était consacré à son travail de façon extraordinaire, réclamé par tout le monde pour toute question médico-légale, tellement occupé que les actions du passé, à peine lui traversaient-elles l'esprit, ressemblaient aussitôt aux monstres de la mythologie grecque et s'empressaient de disparaître.

La beauté d'avoir été un héros, puis la vertu d'être humble parce que les conditions ne sont plus là. Ainsi était Turri.

Scène finale

Il est mort, du cœur, à l'hôpital de Bologne. On m'a averti.

Avec Giovanna, je suis allé à la Certosa, le cimetière de Bologne, pour l'office religieux. Nous y sommes allés de bonne heure.

Turri, dans son cercueil, n'était pas encore arrivé. Une escouade de soldats l'attendait, pour les honneurs militaires. Turri, Médaille d'or.

Ont commencé à affluer des personnes plus ou moins de mon âge.

Nous sommes entrés dans l'église, qui s'est remplie. Nous sommes montés sur une stalle, des sièges le long du flanc de l'église.

De là, on voyait mieux l'ensemble.

Les trompettes ont éclaté à l'arrivée du cercueil. La voix énergique d'un officier a ordonné : « Présentez, armes ! »

Toute l'assistance affichait un air grave, absorbé. Certainement un pur hasard, une impression subjective, mais presque tous m'ont paru d'un physique sec ; les femmes, aussi, sévères.

Certains d'abord s'étaient approchés de moi et m'avaient salué en murmurant leur nom.

J'avais fait semblant de les reconnaître.

La cérémonie s'est déroulée en silence.

J'imaginai le sourire débonnaire sur le visage de Turri lorsque le jeune carabinier, jusque-là planté à côté du cercueil, s'évanouit, s'affalant sur le dallage.

Son adjudant, depuis l'autre nef, l'avait compris et avait accouru soutenir son soldat, trop tard; on l'avait laissé trop longtemps planté, dans son pesant uniforme, qui l'étranglait.

Je tournais les yeux de temps à autre vers l'assemblée réunie : oui, le visage grave, de ceux qui se rappellent.

Ils avaient été avec Turri, avaient combattu à ses côtés. Ils n'étaient certainement pas ici par pure convenance. La mairie, la municipalité, avait envoyé un étendard, mais le maire était absent. Turri était encore au pilori, la ville de Bologne était aux mains d'une administration totalement communiste.

Le prêtre a parlé, une voix franche. Il a précisé que Turri, pour défendre la liberté, s'était mis en danger, lui et sa famille, ses enfants. Il a souligné qu'il ne réclamait rien aux pauvres qui venaient vers lui pour leurs ennuis, pour des questions médico-légales. Le frère, un dominicain, parlait de lui comme d'un frère de l'Église.

On l'a écouté dans un profond recueillement.

Le représentant de l'Association des Médailles d'or s'est exprimé aussi, de manière plus vague.

Nouvelles sonneries de trompettes, garde-à-vous, présentez armes ! Le carabinier qui tout à l'heure s'était évanoui se tenait dans un coin, penaud, mortifié.

Turri, dans son cercueil, s'est éloigné. Alors, quelqu'un que je n'avais pas remarqué jusque-là, assis dans un fauteuil roulant, un mutilé, tirant furieusement sur ses roues, l'a rattrapé, a tapé de la main sur le cercueil, a tenté même de l'embrasser et criait en pleurant :

— Iacopo, tu t'en vas... Iacopo, Iacopo...

La cérémonie était terminée. À présent, on le portait dans un modeste caveau que Turri avait acheté, il y avait déjà mis ses parents, précédemment inhumés au cimetière de Reggio Emilia.

C'était une chaude journée, le soleil pesait sur chaque pierre. De nouveau quelques-uns m'ont salué; ils s'approchaient d'abord en titubant, puis bredouillaient quelques mots sur Turri; tous l'air grave. Une Italie inhabituelle.

Nous avons embrassé Irene, sa femme. Elle restait seule, après toutes ces années passées auprès de Turri.

Nous avons salué ses fils.

Nous avons fait quelques pas dans la Chartreuse, tant aimée des Bolonais; le mot « Certosa » émaillait leurs conversations. Dans le cimetière régnait le calme.

Il n'y avait plus qu'à remonter en voiture et nous en aller.

Turri aussi s'en était allé; et Campi autrefois. Nous étions trois amis. Je restais seul. Me demandant si nous nous reverrions.

Table

Dans la même collection

Svetlana Alexievitch, *Ensorcelés par la mort*. Traduit du russe par Sophie Benech.

Vladimir Arsenijević, *À fond de cale*. Traduit du serbo-croate par Mireille Robin.

Trezza Azzopardi, *La Cachette*. Traduit de l'anglais par Edith Soonckindt.

Trezza Azzopardi, *Ne m'oubliez pas*. Traduit de l'anglais par Edith Soonckindt.

Kirsten Bakis, *Les Chiens-Monstres*. Traduit de l'anglais (États-Unis) par Marc Cholodenko.

Sebastian Barry, *Les Tribulations d'Eneas McNulty*. Traduit de l'anglais (Irlande) par Robert Davreu.

Saul Bellow, *En souvenir de moi*. Traduit de l'anglais (États-Unis) par Pierre Grandjouan.

Saul Bellow, *Tout compte fait. Du passé indistinct à l'avenir incertain*. Traduit de l'anglais (États-Unis) par Philippe Delamare.

Alessandro Boffa, *Tu es une bête, Viskovitz*. Traduit de l'italien par Nathalie Bauer.

Joan Brady, *L'Enfant loué*. Traduit de l'anglais par Pierre Alien. Prix du Meilleur Livre Étranger 1995.

Joan Brady, *Peter Pan est mort*. Traduit de l'anglais par Marc Cholodenko.

Joan Brady, *L'Émigré*. Traduit de l'anglais par André Zavriew.

Peter Carey, *Jack Maggs*. Traduit de l'anglais (Australie) par André Zavriew.

Peter Carey, *Oscar et Lucinda*. Traduit de l'anglais (Australie) par Michel Courtois-Fourcy.

Peter Carey, *L'Inspectrice*. Traduit de l'anglais (Australie) par Marc Cholodenko.

Peter Carey, *Un écornifleur* (Illywhacker). Traduit de l'anglais (Australie) par Jean Guiloineau.

Peter Carey, *La Vie singulière de Tristan Smith*. Traduit de l'anglais (Australie) par André Zavriew.

Peter Carey, *Ma vie d'imposteur*. Traduit de l'anglais (Australie) par Élisabeth Peellaert.

Peter Carey, *Véritable histoire du Gang Kelly*. Traduit de l'anglais (Australie) par Élisabeth Peellaert. Prix du Meilleur Livre Étranger 2003.

Sandra Cisneros, *Caramelo*. Traduit de l'anglais (États-Unis) par Rémy Lambrechts.

Martha Cooley, *L'Archiviste*. Traduit de l'anglais (États-Unis) par André Zavriew.

Fred D'Aguiar, *La Mémoire la plus longue*. Traduit de l'anglais (États-Unis) par Gilles Lergen.

Jonathan Dee, *Les Privilèges*. Traduit de l'anglais (États-Unis) par Élisabeth Peellaert.

Junot Díaz, *Comment sortir une Latina, une Black, une blonde ou une métisse*. Traduit de l'anglais (États-Unis) par Rémy Lambrechts.

Junot Díaz, *La Brève et Merveilleuse Vie d'Oscar Wao*. Traduit de l'anglais (États-Unis) par Laurence Viallet.

Edward Docx, *Le Calligraphe*. Traduit de l'anglais par Marie-Claire Pasquier.

Albert Drach, *Voyage non sentimental*. Traduit de l'allemand par Colette Kowalski.

Stanley Elkin, *Le Royaume enchanté*. Traduit de l'anglais (États-Unis) par Claire Maniez et Marc Chénetier.

Nathan Englander, *Pour soulager d'irrésistibles appétits*. Traduit de l'anglais (États-Unis) par Élisabeth Peellaert.

Nathan Englander, *Le Ministère des Affaires spéciales*. Traduit de l'anglais (États-Unis) par Élisabeth Peellaert.

Jeffrey Eugenides, *Les Vierges suicidées*. Traduit de l'anglais (États-Unis) par Marc Cholodenko.

Kitty Fitzgerald, *Le Palais des cochons*. Traduit de l'anglais par Bernard Hœpffner.

Susan Fletcher, *Avis de tempête*. Traduit de l'anglais par Marie-Claire Pasquier.

Susan Fletcher, *La Fille de l'Irlandais*. Traduit de l'anglais par Marie-Claire Pasquier.

Susan Fletcher, *Un bûcher sous la neige*. Traduit de l'anglais par Suzanne Mayoux.

Dario Fo, *Le Pays des Mezaràt*. Traduit de l'italien par Nathalie Bauer.

Erik Fosnes Hansen, *Cantique pour la fin du voyage*. Traduit du norvégien par Alain Gnaedig.

Erik Fosnes Hansen, *La Tour des faucons*. Traduit du norvégien par Johannes Kreisler.

Erik Fosnes Hansen, *Les Anges protecteurs*. Traduit du norvégien par Lena Grumbach et Hélène Hervieu.

William Gaddis, *JR*. Traduit de l'anglais (États-Unis) par Marc Cholodenko.

William Gaddis, *Le Dernier Acte*. Traduit de l'anglais (États-Unis) par Marc Cholodenko.

William Gaddis, *Agonie d'agapè*. Traduit de l'anglais par Claro.

Eduardo Galeano, *Mémoire du feu,* tome I, *Les Naissances*. Traduit de l'espagnol par Claude Couffon.

Eduardo Galeano, *Mémoire du feu,* tome II, *Les Visages et les Masques*. Traduit de l'espagnol par Véra Binard.

Eduardo Galeano, *Mémoire du feu,* tome III, *Le Siècle du vent*. Traduit de l'espagnol par Véra Binard.

Petina Gappah, *Les Racines déchirées*. Traduit de l'anglais par Anouk Neuhoff.

Natalia Ginzburg, *Nos années d'hier*. Traduit de l'italien par Adrienne Verdière Le Peletier. Nouvelle édition établie par Nathalie Bauer.

Paul Golding, *L'Abomination*. Traduit de l'anglais par Robert Davreu.

Nadine Gordimer, *Le Safari de votre vie*. Nouvelles traduites de l'anglais par Pierre Boyer, Julie Damour, Gabrielle Rolin, Antoinette Roubichou-Stretz et Claude Wauthier.

Nadine Gordimer, *Feu le monde bourgeois*. Traduit de l'anglais par Pierre Boyer.

Nadine Gordimer, *Personne pour m'accompagner*. Traduit de l'anglais par Pierre Boyer.

Nadine Gordimer, *L'écriture et l'existence*. Traduit de l'anglais par Claude Wauthier.

Nadine Gordimer, *L'Arme domestique*. Traduit de l'anglais par Claude Wauthier et Fabienne Teisseire.

Nadine Gordimer, *Vivre dans l'espoir et dans l'Histoire*. Traduit de l'anglais par Claude Wauthier et Fabienne Teisseire.

Nadine Gordimer, *La Voix douce du serpent*. Traduit de l'anglais par Pierre Boyer, Julie Damour, Dominique Dussidour, Claude Wauthier.

Nadine Gordimer, *Le Magicien africain*. Traduit de l'anglais par Pierre Boyer, Julie Damour, Fabienne Teisseire et Claude Wauthier.

Lauren Groff, *Les Monstres de Templeton*. Traduit de l'anglais (États-Unis) par Carine Chichereau.

Lauren Groff, *Fugues*. Traduit de l'anglais (États-Unis) par Carine Chichereau.

Arnon Grunberg, *Douleur fantôme*. Traduit du néerlandais par Olivier Van Wersch-Cot.

Arnon Grunberg, *Lundis bleus*. Traduit du néerlandais par Tina Hegeman.

Allan Gurganus, *Bénie soit l'assurance*. Traduit de l'anglais (États-Unis) par Simone Manceau.

Allan Gurganus, *Et nous sommes à Lui*. Traduit de l'anglais (États-Unis) par Élisabeth Peellaert.

Allan Gurganus, *Lucy Marsden raconte tout*. Traduit de l'anglais (États-Unis) par Élisabeth Peellaert.

Allan Gurganus, *Les Blancs*. Traduit de l'anglais (États-Unis) par Simone Manceau et Élisabeth Peellaert.

Oscar Hijuelos, *Les Mambo Kings*. Traduit de l'anglais (États-Unis) par Pierre Alien et Jean Clem.

Nick Hornby, *Slam*. Traduit de l'anglais par Francis Kerline.

Nick Hornby, *À propos d'un gamin*. Traduit de l'anglais par Christophe Mercier.

Nick Hornby, *Carton jaune*. Traduit de l'anglais par Gabrielle Rolin.

Nick Hornby, *Conversations avec l'ange*. Traduit de l'anglais par Marie-Claire Pasquier.

Nick Hornby, *Haute Fidélité*. Traduit de l'anglais par Gilles Lergen.

Nick Hornby, *La Bonté : mode d'emploi*. Traduit de l'anglais par Isabelle Chapman.

Nick Hornby, *Vous descendez ?* Traduit de l'anglais par Nicolas Richard.

Neil Jordan, *Lignes de fond*. Traduit de l'anglais (Irlande) par Gabrielle Rolin.

Nicholas Jose, *Pour l'amour d'une rose noire*. Traduit de l'anglais par Anne Rabinovitch.

Ken Kalfus, *Un désordre américain*. Traduit de l'anglais (États-Unis) par Marie-Hélène Dumas.

Ryszard Kapuściński, *Autoportrait d'un reporter*. Traduit du polonais par Véronique Patte.

Ryszard Kapuściński, *Cet Autre*. Traduit du polonais par Véronique Patte.

Ryszard Kapuściński, *Ébène*. Traduit du polonais par Véronique Patte.

Ryszard Kapuściński, *Imperium*. Traduit du polonais par Véronique Patte.

Ryszard Kapuściński, *La Guerre du foot*. Traduit du polonais par Véronique Patte.

Ryszard Kapuściński, *Mes voyages avec Hérodote*. Traduit du polonais par Véronique Patte.

Ryszard Kapuściński, *Le Christ à la carabine*. Traduit du polonais par Véronique Patte.

Francesca Kay, *Saison de lumière*. Traduit de l'anglais par Laurence Viallet.

Wolfgang Koeppen, *Pages du journal de Jacob Littner écrites dans un souterrain*. Traduit de l'allemand par André Maugé.

Jerzy Kosinski, *L'Ermite de la 69e Rue*. Traduit de l'anglais (États-Unis) par Fortunato Israël.

Hari Kunzru, *Mes révolutions*. Traduit de l'anglais par Marie-Hélène Dumas.

Barry Lopez, *Les Dunes de Sonora*. Traduit de l'anglais (États-Unis) par Suzanne V. Mayoux.

James Lord, *Cinq Femmes exceptionnelles*. Traduit de l'anglais (États-Unis) par Pierre Leyris et Edmonde Blanc.

Patrick McCabe, *Le Garçon boucher*. Traduit de l'anglais (Irlande) par Edith Soonckindt.

Norman Mailer, *L'Amérique*. Traduit de l'anglais (États-Unis) par Anne Rabinovitch.

Norman Mailer, *L'Évangile selon le fils*. Traduit de l'anglais (États-Unis) par Rémy Lambrechts.

Norman Mailer, *Oswald. Un mystère américain*. Traduit de l'anglais (États-Unis) par Pierre Grandjouan.

Norman Mailer, *Un château en forêt*. Traduit de l'anglais (États-Unis) par Gérard Meudal.

Salvatore Mannuzzu, *La Procédure*. Traduit de l'italien par André Maugé.

Salvatore Mannuzzu, *La Fille perdue*. Traduit de l'italien par Nathalie Bauer.

Valerie Martin, *Mary Reilly*. Traduit de l'anglais (États-Unis) par Annie Saumont.

Daniel Mason, *Un lointain pays*. Traduit de l'anglais (États-Unis) par Isabelle Chapman.

Paolo Maurensig, *Le Violoniste*. Traduit de l'italien par Nathalie Bauer.

Piero Meldini, *L'Antidote de la mélancolie*. Traduit de l'italien par François Maspero.

Lisa Moore, *Février*. Traduit de l'anglais (Canada) par Carole Hanna.

Jess Mowry, *Hypercool*. Traduit de l'anglais (États-Unis) par Pierre Alien.

Péter Nádas, *Amour*. Traduit du hongrois par Georges Kassai et Gilles Bellamy.

Péter Nádas, *La Fin d'un roman de famille*. Traduit du hongrois par Georges Kassai.

Péter Nádas, *Le Livre des mémoires*. Traduit du hongrois par Georges Kassai. Prix du Meilleur Livre Étranger 1999.

Péter Nádas, *Minotaure*. Traduit du hongrois par Georges Kassai et Gilles Bellamy.

V. S. Naipaul, *L'Inde. Un million de révoltes*. Traduit de l'anglais par Béatrice Vierne.

V. S. Naipaul, *La Traversée du milieu*. Traduit de l'anglais par Marc Cholodenko.

V. S. Naipaul, *Un chemin dans le monde*. Traduit de l'anglais par Suzanne V. Mayoux.

V. S. Naipaul, *La Perte de l'Eldorado*. Traduit de l'anglais par Philippe Delamare.

V. S. Naipaul, *Jusqu'au bout de la foi. Excursions islamiques chez les peuples convertis.* Traduit de l'anglais par Philippe Delamare.

V. S. Naipaul, *La Moitié d'une vie*. Traduit de l'anglais par Suzanne V. Mayoux.

V. S. Naipaul, *Semences magiques*. Traduit de l'anglais par Suzanne V. Mayoux.

Tim O'Brien, *À la poursuite de Cacciato*. Traduit de l'anglais (États-Unis) par Yvon Bouin.

Tim O'Brien, *À propos de courage*. Traduit de l'anglais (États-Unis) par Jean-Yves Prate. Prix du Meilleur Livre Étranger 1993.

Tim O'Brien, *Au lac des Bois*. Traduit de l'anglais (États-Unis) par Rémy Lambrechts.

Tim O'Brien, *Matou amoureux*. Traduit de l'anglais (États-Unis) par Rémy Lambrechts.

Jayne Anne Phillips, *Camp d'été*. Traduit de l'anglais (États-Unis) par André Zavriew.

Salman Rushdie, *Est, Ouest*. Traduit de l'anglais par François et Danielle Marais.

Salman Rushdie, *Franchissez la ligne...* Traduit de l'anglais par Philippe Delamare.

Salman Rushdie, *Furie*. Traduit de l'anglais par Claro.

Salman Rushdie, *Haroun et la mer des histoires*. Traduit de l'anglais par Jean-Michel Desbuis.

Salman Rushdie, *La Honte*. Traduit de l'anglais par Jean Guiloineau.

Salman Rushdie, *La Terre sous ses pieds*. Traduit de l'anglais par Danielle Marais.

Salman Rushdie, *Le Dernier Soupir du Maure*. Traduit de l'anglais par Danielle Marais.

Salman Rushdie, *L'Enchanteresse de Florence*. Traduit de l'anglais par Gérard Meudal.

Salman Rushdie, *Le Sourire du jaguar*. Traduit de l'anglais par Anne Rabinovitch.

Salman Rushdie, *Les Enfants de minuit*. Traduit de l'anglais par Jean Guiloineau.

Salman Rushdie, *Les Versets sataniques*. Traduit de l'anglais par A. Nasier.

Salman Rushdie, *Shalimar le clown*. Traduit de l'anglais par Claro.

Salman Rushdie, *Luka et le Feu de la Vie*. Traduit de l'anglais par Gérard Meudal.

Paul Sayer, *Le Confort de la folie*. Traduit de l'anglais par Bernard Hoepffner.

Diane Setterfield, *Le Treizième Conte*. Traduit de l'anglais par Claude et Jean Demanuelli.

Donna Tartt, *Le Maître des illusions*. Traduit de l'anglais (États-Unis) par Pierre Alien.

Donna Tartt, *Le Petit Copain*. Traduit de l'anglais (États-Unis) par Anne Rabinovitch.

Marcel Theroux, *Au nord du monde*. Traduit de l'anglais par Stéphane Roques.

Pramoedya Ananta Toer, *Le Fugitif*. Traduit de l'indonésien par François-René Daillie.

Hasan Ali Toptaş, *Les Ombres disparues*. Traduit du turc par Noémi Cingöz.

Rose Tremain, *Les Ténèbres de Wallis Simpson*. Traduit de l'anglais par Claude et Jean Demanuelli.

Rose Tremain, *Retour au pays*. Traduit de l'anglais par Claude et Jean Demanuelli.

Joanna Trollope, *Les Vendredis d'Eleanor*. Traduit de l'anglais par Isabelle Chapman.

Joanna Trollope, *La Deuxième Lune de miel*. Traduit de l'anglais par Isabelle Chapman.

Dubravka Ugrešić, *L'Offensive du roman-fleuve*. Traduit du serbo-croate par Mireille Robin.

Dubravka Ugrešič, *Dans la gueule de la vie*. Traduit du serbo-croate par Mireille Robin.

Sandro Veronesi, *La Force du passé*. Traduit de l'italien par Nathalie Bauer.

Serena Vitale, *Le Bouton de Pouchkine*. Traduit de l'italien par Jacques Michaut-Paternò. Prix du Meilleur Livre Étranger 1998.

Edith Wharton, *Les Boucanières*. Traduit de l'anglais (États-Unis) par Gabrielle Rolin.

Edmund White, *City Boy*. Traduit de l'anglais (États-Unis) par Philippe Delamare.

Edmund White, *Écorché vif*. Traduit de l'anglais (États-Unis) par Élisabeth Peellaert et Marc Cholodenko.

Edmund White, *Fanny*. Traduit de l'anglais (États-Unis) par Anne Rabinovitch.

Edmund White, *La Bibliothèque qui brûle*. Traduit de l'anglais (États-Unis) par Philippe Delamare.

Edmund White, *La Symphonie des adieux*. Traduit de l'anglais (États-Unis) par Marc Cholodenko.

Edmund White, *L'Homme marié*. Traduit de l'anglais (États-Unis) par Anne Rabinovitch.

Edmund White, *Mes vies*. Traduit de l'anglais (États-Unis) par Philippe Delamare.

Edmund White, *Hotel de Dream*. Traduit de l'anglais (États-Unis) par André Zavriew.

Jeanette Winterson, *Écrit sur le corps*. Traduit de l'anglais par Suzanne Mayoux.

Jeanette Winterson, *Le Sexe des cerises*. Traduit de l'anglais par Isabelle Delors-Philippe.

Jeanette Winterson, *Art et mensonges*. Traduit de l'anglais par Isabelle Delors-Philippe.

Tobias Wolff, *Un mauvais sujet*. Traduit de l'anglais (États-Unis) par Anouk Neuhoff.

Tobias Wolff, *Dans l'armée de Pharaon*. Traduit de l'anglais (États-Unis) par Rémy Lambrechts.

Tobias Wolff, *Portrait de classe*. Traduit de l'anglais (États-Unis) par Élisabeth Peellaert.

Tobias Wolff, *Retour au monde*. Traduit de l'anglais (États-Unis) par Rémy Lambrechts.

Pedro Zarraluki, *Un été à Cabrera*. Traduit de l'espagnol par Laurence Villaume.

Cet ouvrage a été imprimé en France par

BUSSIÈRE

à Saint-Amand-Montrond (Cher)
en juin 2011

N° d'impression : 111641/1
Dépôt légal : août 2011